Chwedlau Cymru a'i straeon hud a lledrith

Diolch i Carys Glyn am deitlau'r straeon

Cyhoeddwyd gan Rily Publications Ltd 2022,
Blwch Post 257, Caerffili CF83 9FL
Hawlfraint yr addasiad © Rily Publications Ltd 2022

www.rily.co.uk

Cyhoeddwyd gyntaf yn y DU o dan y teitl *Welsh Fairy Tales, Myths and Legends*
gan Scholastic Children's Books 2021 Euston House, 24 Eversholt Street,
London NW1 1DB, cwmni Scholastic Limited.

Hawlfraint y testun © Claire Fayers 2021

Hawlfraint y darluniau © David Wardle 2021

Mae hawl Claire Fayers i'w chydnabod yn awdur y gwaith hwn wedi ei arddel
ganddi yn unol â Deddf Hawlfraint, Dylunio a Phatentau 1988.

Addasiad: Siân Lewis

ISBN 978-1-80416-266-8

Mae cofnod catalog CIP o'r llyfr hwn ar gael gan y Llyfrgell Brydeinig.

Mae'r cyhoeddwr yn cydnabod cefnogaeth ariannol Cyngor Llyfrau Cymru.

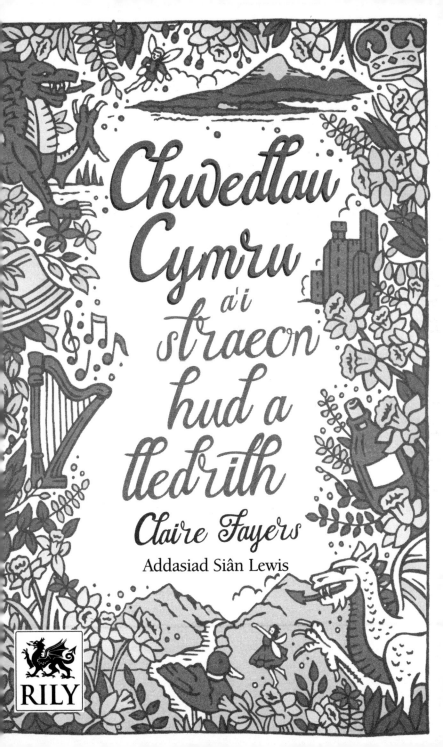

Chwedlau Cymru a'i straeon hud a lledrith

Claire Fayers

Addasiad Siân Lewis

Cynnwys

Y Ddraig a'r Faner   1

Blodeuwedd   15

Fy Mrawd, y Tylwythyn Teg   31

Gelert Ddewr   45

Pont y Diafol   51

Rhiannon a Pwyll   61

Y Bachgen a Ofynnai Gwestiynau   75

Y Ferch o Lyn y Fan Fach   89

Telyn y Tylwyth Teg   99

Y Dail a Hongiai heb Dyfu   113

Y Diafol a Jac y Cawr   129

Rhiannon a'i Babi   141

Pwca yn y Pwll Copr   149

Y Wlad o Dan y Dŵr   159

Y Tri Llo   169

Taliesin yn Achub y Dydd   181

Pryderi a Brenhines y Tylwyth Teg   195

Yr Afanc   209

Ogof y Brenin Arthur   221

I ddarllenwyr brwd y teulu,
Simon, Zoe, Noah,
Nina a Kit.

Cyflwyniad

Mae Cymru'n aml yn cael ei galw'n wlad y gân. Mae hi hefyd yn wlad y chwedlau. O chwedlau'r Brenin Arthur i storïau am y Tylwyth Teg sy'n llechu ym mhob cwm, mae yna straeon i ddiddori pawb.

Dwi'n dotio at y ffaith bod llawer o storïau Cymru wedi eu lleoli mewn mannau go iawn. Yn y llyfr hwn, byddwch yn teithio o Fynyddoedd Duon de Cymru, lle bu Jac y Cawr yn chwarae cardiau â'r Diafol, i Fae Ceredigion yn y gorllewin, oedd unwaith yn dir sych. Mae 'na storïau dan eich traed ble bynnag yr ewch chi, ac ar ôl clywed y stori fydd y lle byth yr un fath i chi eto.

Y casgliad enwocaf o straeon Cymraeg yw'r Mabinogi. Maen nhw'n perthyn i gyfnod y cewri a'r dewiniaid, pan oedd brenhinoedd, tywysogion ac arglwyddi'n rheoli'r wlad ac yn aml yn ymladd â'i gilydd. Dwi wedi cynnwys rhai o'r straeon yn y casgliad hwn, ond mae yna lawer mwy. Os ydych chi am eu darllen, dwi'n eich argymell i edrych ar un o'r fersiynau modern. Mae sawl un ar gael.

Dyma rai o fy hoff straeon Cymreig. Gobeithio y byddwch chi'n eu mwynhau lawn cymaint â fi.

Y Ddraig a'r Faner

Wyt ti erioed wedi ceisio dyfalu pam mae draig goch ar faner Cymru? Mae'r stori'n cychwyn dros fil a phum cant o flynyddoedd yn ôl, yn y bumed ganrif, pan oedd Gwrtheyrn yn Frenin y Brythoniaid.

*R*oedd Gwrtheyrn, Brenin y Brythoniaid, yn poeni'n arw. Roedd ei bobl yn wynebu gelynion newydd ffyrnig – y Sacsoniaid. Bob wythnos roedd y Sacsoniaid yn ymosod ar dai, yn llosgi ffermydd, yn dwyn defaid a gwartheg. *Rhaid cael lle diogel i fy mhobl*, meddyliodd Gwrtheyrn: *rhywle lle medran nhw lochesu, os bydd angen. Rhywle lle medr fy milwyr orffwys rhwng brwydrau.* Yn ei ddychymyg, gwelai gaer fawr â waliau cerrig a gatiau haearn, yn sefyll ar fryn uchel.

Brysiodd y Brenin Gwrtheyrn i siarad â'i gynghorwyr. Cytunodd pawb fod angen caer, ac ar ôl trafod am amser hir, dewison nhw fryn ger Dinas Emrys yng ngogledd Cymru. Roedd y bryn yn ddigon uchel i'r milwyr fedru gweld y Sacsoniaid o bell; roedd coedwig o'i gwmpas, fyddai'n darparu digon o goed tân, ac roedd yn agos at lyn lle medrai pawb gael dŵr i yfed ac ymolchi.

Galwodd Gwrtheyrn ei lys at ei gilydd, a sôn wrthyn nhw am y cynllun. Roedd pawb wrth eu bodd, a gorchmynnodd y brenin i adeiladwyr, gweithwyr haearn a seiri coed gorau'r wlad ddod i Ddinas Emrys. Codwyd gwersyll iddyn nhw ger y llyn dan haul Cymru – y math gorau o haul yn y byd, fel y gwyddon ni – a gan chwerthin a sgwrsio, dechreuon nhw ar eu gwaith.

Aeth y diwrnod cyntaf heibio fel y gwynt. Aeth timau o weithwyr ati i dorri cerrig o'r mynyddoedd gerllaw, a'u cludo i'r gwersyll i greu waliau'r gaer. Bu'r seiri'n brysur yn torri coed, a'r gweithwyr haearn yn cynnau tanau. Cloddion nhw'r seiliau a gosod carreg gyntaf y wal gyntaf yn ei lle. Ar fachlud haul, daeth pawb at ei gilydd i ddathlu.

Fore trannoeth, aethon nhw'n ôl at eu gwaith. Ond am siom a braw! Roedd eu hoffer yn rhacs, a darnau o bren wedi'u gwasgaru dros bobman. Roedd y garreg sylfaen, a osodwyd yn ei lle mor ofalus, yn gorwedd yn ddau ddarn ar y glaswellt.

Ar ôl syllu am foment heb ddweud gair, dechreuodd pawb weiddi ar draws ei gilydd. Pwy oedd wedi gwneud y fath beth? Y Sacsoniaid, mae'n rhaid – roedden nhw wedi dod yn y nos, pan oedd pawb yn cysgu!

Ymwthiodd y Brenin Gwrtheyrn drwy'r dorf. Fedrai o ddim deall sut oedd y Sacsoniaid wedi llwyddo i ddinistrio diwrnod cyfan o waith, heb i'w filwyr glywed 'run smic. A heb adael un ôl troed chwaith, sylweddolodd, gan graffu ar y llawr.

"Wnawn ni ddim gadael i'r Sacsoniaid ennill," meddai. Gorchmynnodd i'r adeiladwyr ddechrau ailgodi'r waliau, ac aeth pawb yn ôl at eu gwaith, ond yn llai hapus na'r diwrnod cynt.

Buon nhw'n gweithio drwy'r dydd heb seibiant, ac erbyn i'r haul fachlud roedden nhw wedi codi wal un metr o uchder.

Roedd pawb yn rhy flinedig i ddathlu'r noson honno. Gosododd Gwrtheyrn ddynion i warchod y bryn ac i wylio'r goedwig, rhag ofn i'r Sacsoniaid ymosod eto.

Fore trannoeth, roedd wal y gaer wedi'i chwalu unwaith yn rhagor. Rhwbiodd y gwarchodwyr eu llygaid a chyfaddef eu bod wedi syrthio i gysgu, oherwydd welson nhw ddim byd, na chlywed dim chwaith.

Digwyddodd hyn am wythnos gron. Bob dydd roedd yr adeiladwyr yn gweithio mor galed ag y medren nhw, a phob nos roedd gelyn anweledig yn dymchwel y waliau. Dechreuodd yr adeiladwyr sibrwd wrth ei gilydd bod ysbryd ar y bryn.

"Frenin," meddai cynghorwyr Gwrtheyrn. "Rydyn ni'n eich cynghori i adael y lle hwn ac adeiladu eich caer yn rhywle arall."

Ysgydwodd Gwrtheyrn ei ben. Pe bai o'n gadael y bryn, byddai pawb yn dweud ei fod wedi ildio i'r gelyn. Byddai'r Sacsoniaid yn chwerthin am ei ben ac yn ei alw'n fethiant. "Rhaid i ni orffen y gaer," meddai. "Rydych chi'n bobl glyfar, yn ôl pob sôn. Ewch i ddarganfod beth sy'n digwydd bob nos a phenderfynu sut i'w atal. Mi ro i gant o ddarnau aur i bwy bynnag sy'n datrys y dirgelwch."

Aeth cynghorwyr Gwrtheyrn i ffwrdd. Wythnos yn ddiweddarach, daethon nhw'n ôl a golwg ofidus iawn ar wyneb pob un.

"Ydych chi eisiau'r newydd da, y newydd drwg, neu'r newydd drwg iawn?" gofynnon nhw.

Ochneidiodd Gwrtheyrn. "Dwi eisiau clywed beth sy'n bod a sut y medra i ddatrys y broblem."

Llusgodd y cynghorwyr eu traed a sibrwd wrth ei gilydd.

"Y newydd da ydy hyn: rydyn ni'n gwybod pam mae'r gaer yn chwalu," medden nhw. "Mae melltith ar Ddinas Emrys. Fedr neb adeiladu yma. Dyna'r newydd drwg."

Bryn dan felltith? Doedd Gwrtheyrn erioed wedi clywed am y fath beth! Doedd o ddim yn deall llawer am felltithion chwaith, ond roedd o'n gwybod un peth: roedd hi'n bosib torri melltith. "Dwedwch wrtha i beth sy'n rhaid i fi wneud," meddai.

Ciliodd y cynghorwyr gam neu ddau. Cododd un ei law. "Fyddai hi ddim yn well i chi anghofio am y gaer?"

Na. Dim byth. Doedd brenhinoedd byth yn ildio. Byddai'r Sacsoniaid yn dweud ei fod yn rhy wan i godi'i gaer ei hun. Châi hynny ddim digwydd. Ddim o gwbl. Cododd Gwrtheyrn ar ei draed. "Dwi'n eich gorchymyn i ddweud wrtha i sut i dorri'r felltith."

Crynodd y cynghorwyr mewn dychryn, ond roedden nhw'n bobl glyfar, fel dwedodd Gwrtheyrn, ac yn gwybod bod yn rhaid ufuddhau i orchymyn y brenin. "Wel, Eich Mawrhydi," medden nhw. "Dyma'r newydd drwg iawn. Yn gyntaf, rhaid i chi chwilio am fachgen na chafodd erioed dad."

"Rwtsh!" meddai Gwrtheyrn yn swta. "Mae gan bob plentyn dad."

"Serch hynny," meddai'r cynghorwyr, "os ydych chi am dorri'r felltith, dyna beth sy'n rhaid i chi wneud. Rhaid cael gafael ar y bachgen a mynd â fo i ben y bryn. Ac yna . . .

"Yna be?" meddai Gwrtheyrn yn chwyrn.

Syllodd y cynghorwyr i gyd i lawr ar eu traed. "Ac yna, Eich Mawrhydi," medden nhw, "rhaid i chi ei ladd."

Am syniad erchyll! Disgynnodd Gwrtheyrn yn ôl i'w gadair. "Dwi ddim yn mynd i ladd plentyn," meddai.

Rhaid bod rhyw ffordd arall o dorri'r felltith.

Y noson honno, dringodd Gwrtheyrn y bryn ar ei ben ei hun ac eistedd i lawr yn y tywyllwch. Doedd neb wedi bod yno ers dyddiau, ac roedd llanast o bren a cherrig dros y lle. Syllodd Gwrtheyrn ar y coedwigoedd islaw, a gwasgu'i ddyrnau nes bod ei ewinedd yn brathu'i groen. Penderfynodd gadw'n effro drwy'r nos. Wnâi o ddim symud o'r fan nes darganfod beth yn union oedd yn digwydd.

Agorodd ei geg yn gysglyd.

Pan ddeffrodd, roedd hi'n fore. Roedd o'n stiff ac yn boenus ar ôl gorwedd ar y llawr, ac roedd hyd yn oed mwy o gerrig wedi'u gwasgaru dros y bryn.

Herciodd Gwrtheyrn yn ôl i'r gwersyll a'i wyneb yn goch. "Mae'r bryn dan felltith," meddai. "Mae'n amhosib cadw'n effro yno."

Ond doedd o ddim yn barod i ildio chwaith. Anfonodd negeswyr ar draws y wlad i gynnig cant o ddarnau aur i bwy bynnag fedrai ddatrys dirgelwch Dinas Emrys.

Aeth wythnos heibio, yna mis, ac yna daeth bachgen ifanc i wersyll y brenin. Edrychai tua naw oed. Roedd ei wallt mor ddu â phlu'r gigfran, ac roedd ei lygaid tywyll, rhyfedd fel pe baen nhw'n syllu'n syth drwyddoch chi.

Aeth ias oer i lawr cefn Gwrtheyrn. "Pwy wyt ti?" gofynnodd. "Beth ydy dy enw di? O ble wyt ti'n dod?"

"Eich Mawrhydi," meddai'r bachgen. "Fi yw'r bachgen na chafodd erioed dad."

Neidiodd Gwrtheyrn ar ei draed mewn syndod. Doedd o ddim wedi sôn wrth neb am eiriau'i gynghorwyr. Sut oedd y bachgen wedi clywed – a beth arall oedd o'n wybod?

"Dwi ddim yn mynd i dy ladd di," meddai Gwrtheyrn ar frys.

Gwenodd y bachgen wên ddirgel. "Dwi'n gwybod. Ond gadewch i fi dreulio'r nos ar y bryn, a fory fe ddweda i wrthoch chi pam mae'r gaer yn chwalu."

Ysgydwodd Gwrtheyrn ei ben. Wnâi hynny ddim gweithio. Roedd o ei hun eisoes wedi rhoi cynnig arni. Ond os oedd y bachgen am dreulio'r nos yn yr awyr agored, pam lai? Byddai'n ddigon diogel am un noson. Ac roedd o'n fachgen go ryfedd, meddyliodd y brenin. Efallai byddai'r llygaid treiddgar yn gweld rhywbeth nad oedd neb arall wedi'i weld.

"O'r gorau," cytunodd Gwrtheyrn.

Rhoddodd lwyth o flancedi, bwyd a diod i'r bachgen a dangos y ffordd i'r bryn. Yna gorchmynnodd i'w filwyr warchod troed y bryn, rhag ofn i'r Sacsoniaid ddod heibio.

Fore trannoeth, deffrodd y brenin gyda'r wawr. Gwisgodd ar ras a rhedeg yr holl ffordd i fyny'r bryn. Roedd o'n hanner disgwyl darganfod bod y bachgen wedi rhedeg i ffwrdd yn y nos. Ond na, roedd o'n dal yno.

"Eich Mawrhydi," cyhoeddodd y bachgen. "Roeddech chi'n hollol gywir. Roedd Dinas Emrys wedi'i melltithio. Roedd swyn bwerus iawn yn gwneud i bawb oedd yn treulio'r nos ar y bryn syrthio i gysgu. Ond dwi wedi chwalu'r swyn, a nawr gallwn ni ddarganfod cyfrinach y lle hwn. Galwch ar eich adeiladwyr a dwedwch wrthyn nhw am gloddio. Wedyn fe gewch weld beth sy'n cuddio yn y bryn."

"Pam na ddwedi di wrtha i?" gofynnodd Gwrtheyrn. Yn lle adeiladu, roedd y bachgen eisiau i'w ddynion gloddio. Ond beth petaen nhw'n cloddio ac yna'n darganfod dim? Os felly, fo, Gwrtheyrn, fyddai'r brenin mwyaf amhoblogaidd fu ym Mhrydain erioed. Beth os mai un o ysbiwyr y Sacsoniaid oedd y bachgen, yn eu twyllo i wastraffu eu hamser?

"Dwi ddim yn ysbïo dros y Sacsoniaid," meddai'r bachgen, heb i Gwrtheyrn ddweud gair.

Am fachgen anhygoel! Brysiodd Gwrtheyrn yn ôl i'r gwersyll ar unwaith a gorchymyn i'w adeiladwyr ddechrau cloddio.

Buon nhw'n brysur yn cloddio drwy'r dydd, heb seibiant o gwbl, ac o'r diwedd – pan oedd yr haul yn dechrau troi'n oren yn yr awyr – gwaeddodd un o'r adeiladwyr. Roedd ei raw wedi torri drwy'r pridd a chyrraedd man gwag islaw.

Brysion nhw i wneud y twll yn fwy, er mwyn i Gwrtheyrn gael edrych i mewn.

Ogof! Roedd ogof enfawr yng nghanol y bryn. Roedd ychydig o stalactidau'n hongian tuag i lawr, ac ymhell islaw gwelodd Gwrtheyrn fflach o ddŵr tywyll.

Dechreuodd wyneb y llyn tanddwr gorddi a byrlymu. Crynodd y ddaear.

Ciliodd Gwrtheyrn yn ôl yn ffwndrus. Gollyngodd yr adeiladwyr eu rhofiau a rhedeg.

"Arhoswch!" gorchmynnodd y bachgen, a safodd pawb yn stond, yn union fel petai'r brenin ei hun wedi siarad.

Yr eiliad nesaf, gwibiodd dau siâp o'r llyn. Dau siâp cennog yn hedfan a chlecian a chwythu tân.

Dreigiau!

Roedd un o'r dreigiau'n wyn, a'i chennau'n disgleirio fel diemwntau yn nhywyllwch yr ogof. Roedd gan yr ail ddraig gennau lliw rhuddem ac adenydd yn fflachio fel fflamau. Safodd y brenin yn geg agored a'u gwylio'n ymosod ar ei gilydd, gan chwyrnu a hisian, a tharo'n un cwlwm yn erbyn waliau'r ogof. Chwythodd y ddraig wen fflam las welw, grasboeth. Teimlai'r brenin ei gwres o bell. Roedd o'n siŵr y byddai'r ddraig goch yn llosgi'n ulw, ond rholiodd y creadur i un ochr, a chwythu llif fawr o fflamau coch tanllyd i gyfeiriad y fflam las.

Hisiodd yr aer. Camodd Gwrtheyrn yn ôl, gan deimlo'i wallt yn dechrau llosgi.

"Dyna sy'n achosi eich problem, Frenin Gwrtheyrn," meddai'r bachgen. "Mae'r dreigiau wedi cael eu carcharu yma ers mil o flynyddoedd, a phob nos maen nhw'n deffro ac yn ymladd. Tra byddan nhw yma, wnewch chi byth godi'ch caer."

Gwyliodd Gwrtheyrn y dreigiau'n ymladd. Ymladdon nhw drwy'r nos, nes bod y ddaear yn crynu a cherrig y gaer yn rholio i lawr y bryn.

O'r diwedd, ar doriad dydd, cododd y ddraig wen ei phen a sylwi, fel pe bai am y tro cyntaf, ar y twll yn nho'r ogof. Fflapiodd ei hadenydd a chodi'n uwch, ei cheg ar agor yn barod i chwythu tân. Ond gwibiodd y ddraig goch ar ei hôl a chau ei dannedd am gynffon yr un wen.

Syrthiodd y ddraig wen yn ôl. Â sgrech iasoer, gwnaeth ei gorau i ysgwyd y gelyn oddi arni, ond daliodd y ddraig goch ei gafael yn dynn. Hedfanon nhw mewn cylchoedd herciog, y ddraig wen yn ceisio dianc, a'r ddraig goch yn dal ei gafael.

Cydiodd Gwrtheyrn yn ei gleddyf. "Dylen ni wneud rhywbeth," meddai'n ofidus.

"Arhoswch," meddai'r bachgen.

Cododd y ddraig goch y ddraig wen, ei chwyrlïo mewn cylch a'i gollwng yn sydyn. Trawodd y ddraig wen yn erbyn wal yr ogof. Sbonciodd yn ei hôl, a'i phen yn troi. Yna, â sgrech o boen, tasgodd i fyny tua'r twll yn y to, hedfan i'r awyr agored a diflannu o'r golwg.

Rhuodd y ddraig goch yn falch a phlymio'n ôl i'r llyn. Ymhen eiliad, roedd y dŵr yn llonydd unwaith eto.

Crafodd Gwrtheyrn ei ben yn ddryslyd. Oni bai ei fod wedi gweld y dreigiau â'i lygaid ei hun, fyddai o byth wedi credu'r fath beth.

"Bydd y ddraig goch yn cysgu nawr," meddai'r bachgen. "Mae hi wedi trechu'r ddraig wen. Gallwch godi eich caer heb unrhyw ffwdan."

Tynnodd Gwrtheyrn ei lygaid oddi ar y llyn tanddwr a throi i edrych ar y bachgen. Unwaith eto, cafodd y teimlad annifyr fod y bachgen yn syllu'n syth drwyddo.

"Mae arna i gant o ddarnau aur i ti," meddai Gwrtheyrn. "Beth ydy dy enw di?"

Ysgydwodd y bachgen ei ben. "Cadwch eich aur," meddai. "Does arna i mo'i angen." Dechreuodd gerdded i ffwrdd, yna safodd a throi'n ôl. "Fy enw," meddai, "yw Myrddin."

Daeth Myrddin yn ddewin enwog – yr enwocaf erioed. Os wyt ti'n gyfarwydd â storïau'r Brenin Arthur, byddi di wedi clywed amdano.

Yn ôl rhai pobl, dim ond stori yw hon. Mae'r ddraig wen, medden nhw, yn cynrychioli'r Sacsoniaid, a'r ddraig goch fuddugol yn cynrychioli'r Brythoniaid dewr.

Ond mae yna stori arall – ac mae hon yn bendant yn wir. Yn 1945 roedd archaeolegwyr yn cloddio'r bryn ger Dinas Emrys, ac yno darganfuon nhw ogof, llyn tanddwr ac olion hen gaer a ailadeiladwyd nifer o weithiau. Welson nhw mo'r ddraig, cofia. Efallai ei bod hi'n dal i gysgu.

Blodeuwedd

Daw'r stori hon o gasgliad o chwedlau Cymraeg –
Y Mabinogi. Maen nhw'n perthyn i'r gorffennol pell, pan
oedd Cymru'n wlad o hud a lledrith, a pherygl yn llechu ym
mhobman. Gallai hyd yn oed y blodau, oedd yn tyfu mor
dlws a diniwed yn y caeau, fod yn dy wylio di'n slei bach ac
yn cynllwynio i ladd . . .

$\mathcal{A}$mser maith yn ôl, pan oedd tywysogion ag enwau rhyfedd yn rheoli Cymru, roedd yna dywysog o'r enw Lleu Llaw Gyffes. Yn ogystal ag enw rhyfedd, roedd gan Lleu deulu rhyfeddol. Roedd ei Ewyrth Gwydion yn ddewin. Gwyddai Gwydion fod y byd yn lle peryglus, ac roedd o eisiau cadw Lleu'n ddiogel. Felly, pan oedd Lleu'n tyfu i fyny, bwriodd Gwydion sawl swyn arno i'w warchod rhag pawb a phopeth.

Fedr neb ladd y Tywysog Lleu liw dydd na liw nos. Fedr neb ladd y Tywysog Lleu y tu mewn na'r tu allan. Fedr neb ladd y Tywysog Lleu pan mae o ar droed nac ar gefn ceffyl. Fedr neb ladd y Tywysog Lleu pan mae'n gwisgo dillad neu'n noeth.

A hefyd, rhag ofn . . .

Dim ond un arf fedr niweidio'r Tywysog Lleu, sef gwayw-ffon sy'n cael ei naddu am flwyddyn gyfan, ar y Sul, pan fydd pawb arall yn yr eglwys.

Fyddai neb yn fodlon colli'r eglwys am flwyddyn gyfan, meddyliodd Gwydion. Soniodd wrth Lleu am y swynion a'i rybuddio i beidio â dweud gair wrth neb.

"Diolch, Yncl Gwydion," meddai Lleu, a rhedeg ar unwaith at ei ffrindiau. "Hei, gwrandwch!" meddai. "Mae gen i swynion i 'ngwarchod i!"

Drwy lwc, wnaeth o ddim dweud yn union beth oedden nhw, ond erbyn iddo dyfu i fyny roedd pawb yn gwybod bod Lleu'n cael ei warchod gan swynion.

Roedd un swyn arall wedi'i bwrw ar Lleu, ond roedd o'n rhy swil i sôn am honno, gan mai ei fam oedd yn gyfrifol amdani. Dyma'r swyn: châi Lleu ddim priodi unrhyw wraig a anwyd ar y Ddaear. Os wyt ti eisiau gwybod hanes y swyn, mae'r stori yn y Mabinogi.

Pan oedd Lleu'n ifanc, doedd o'n poeni dim am gael gwraig. Ond wrth i'r blynyddoedd fynd heibio, a'i ffrindiau'n priodi o un i un, dechreuodd deimlo'n unig. Felly, un diwrnod, aeth i ofyn i'w Ewyrth Gwydion am help.

Roedd y dewin yn torheulo yn y cae llawn blodau o flaen y castell.

"Yncl Gwydion," meddai Lleu. "Dwi wedi penderfynu 'mod i eisiau priodi. Dwi am i ti greu gwraig i mi drwy swyn."

Cododd y dewin ar ei eistedd. "Chlywais i erioed beth mor wirion," meddai. "I be wyt ti eisiau gwraig? Mae gwragedd yn rhy glyfar o lawer, ac mae pobl glyfar yn beryglus."

Am syniad dwl, meddyliodd Lleu, ond fentrodd o ddim dweud hynny. "Gwna wraig i mi o rywbeth diogel, felly." Cododd flodyn llygad y dydd o'r glaswellt, a dechrau tynnu'r petalau o un i un. "Mae'n fy ngharu, dydy hi ddim, mae'n fy ngharu, dydy hi ddim . . ."

Gwyliodd Gwydion ei nai, a gwgu'n gas. "Dos adre ac anghofia am gael gwraig."

Taflodd Lleu y blodyn tuag ato. "Dydy hynna ddim yn deg! Mae fy ffrindiau i gyd yn priodi. Pam na fedra i? Dwi'n dy orchymyn di i wneud gwraig i mi."

Doedd Gwydion ddim yn hoffi ufuddhau i orchmynion. Pan sylwodd Lleu ar ei wyneb dig, bron iawn iddo ddianc yn ôl i'r castell, ond stampiodd ei draed ar y glaswellt a gwneud ei orau i edrych yn dywysogaidd ac awdurdodol.

Syllodd Gwydion arno am foment neu ddwy, cyn codi ar ei draed. "O'r gorau," meddai. "Mi wna i wraig i ti, ond paid â rhoi'r bai arna i pan aiff pethau o chwith. Rŵan, helpa fi i gasglu blodau."

Doedd gan Lleu ddim syniad pam roedd Gwydion eisiau blodau. I'w rhoi'n anrheg i'r wraig hud, efallai? Dechreuodd gasglu: llygaid y dydd, blodau menyn, melyn Mair, glas yr ŷd, a hyd yn oed rhyw ddant y llew neu ddau. Gollyngodd Gwydion nhw'n un pentwr mawr ar ganol y cae.

"Sa'n ôl," gorchmynnodd. Chwifiodd ei ddwylo dros y blodau, a mwmian geiriau dierth. Dechreuodd Lleu deimlo braidd yn rhyfedd. Pefriodd y blodau a chwyrlïo i'r awyr fel petai corwynt wedi'u cipio.

Yna'n sydyn diflannon nhw, ac yn eu lle safai'r ferch brydferthaf a welodd Lleu erioed. Roedd ei llygaid 'run lliw â glas yr ŷd, ei gwallt 'run lliw â blodau menyn, a'i chroen mor feddal a gwelw â phetalau llygad y dydd. Gwisgai ffrog hir o liw'r glaswellt.

Blinciodd y ferch, ac edrych arnyn nhw'n ddryslyd.

"Helô," meddai Lleu, gan fynd ati. "Fy enw i ydy Lleu Llaw Gyffes, a dwi'n dywysog. Wnei di fy mhri-odi i?"

Dim ond syllu arno'n swrth wnaeth y ferch. Meddyliodd Lleu am foment fod swyn ei ewyrth wedi methu. Edrychodd ar Gwydion, oedd yn sefyll â'i freichiau ymhleth a gwg ar ei wyneb. "Mi wnes fy ngorau," mwmianodd Gwydion. "Os nad ydy hi'n dy hoffi di, nid arna i mae'r bai."

Wrth gwrs bod y ferch yn ei hoffi. Roedd o'n ŵr gwerth ei gael. Roedd pawb yn ei hoffi. "Mi gei di fyw yn fy nghastell fan acw," meddai wrth y ferch o flodau, a phwyntio. "Byddi di'n dywysoges, ac mi gei di fy helpu i ddweud wrth bawb beth i'w wneud."

O'r diwedd, gwenodd y ferch a nodio.

Roedd Lleu mor hapus, sylwodd o ddim mai gwên braidd yn sur oedd hi.

"Ardderchog!" meddai Lleu. "Beth ydy dy enw di, gyda llaw?"

Cododd y ferch ei hysgwyddau. "Does gen i ddim enw."

Roedd gan bawb enw! "Mae'n rhaid i fi dy alw di'n rhywbeth," meddai Lleu. "Blodeuwedd fydd dy enw di. Y ferch o flodau."

Roedd Gwydion yn dal i gwyno, ond chymerodd Lleu 'run sylw ac aeth â Blodeuwedd yn ôl i'r castell. Priodon nhw'r wythnos ganlynol, ac am gyfnod bu'r ddau'n hapus iawn gyda'i gilydd.

Neu, o leia, roedd Lleu'n hapus. Roedd Blodeuwedd yn hoffi rhoi gorchmynion, ond roedd y castell yn rhy dywyll ac oer iddi, ac er bod Lleu'n garedig doedd dim byd cyffrous yn ei gylch. Weithiau byddai Blodeuwedd yn dyheu am gael mynd yn ôl i'r cae a throi'n flodau unwaith eto.

Un diwrnod, roedd Lleu'n gorfod mynd i gyfarfod â rhai o dywysogion eraill Cymru. Gofynnodd Blodeuwedd am gael mynd hefyd, ond chwarddodd Lleu. "Paid â bod yn wirion," meddai. "Mae gwragedd yn aros gartre. Os doi di gyda fi, bydd pobl yn meddwl bod rhywbeth o'i le arna i."

Doedd dim pwynt dadlau gyda Lleu. Wnâi o byth newid ei feddwl. Felly cododd Blodeuwedd ei llaw arno, a mynd yn ôl i eistedd ar ei phen ei hun yn y castell, oedd yn teimlo'n dywyllach ac oerach nag erioed.

Llusgodd diwrnod cyfan heibio, ac un arall, ac yna un fin nos clywodd Blodeuwedd gyrn hela yn y cae. Pan edrychodd drwy ffenest y castell, gwelodd ddynion yn marchogaeth heibio. Ymwelwyr! Rhedodd Blodeuwedd allan a chodi'i llaw.

"Helô," meddai. "Fi ydy'r Dywysoges Blodeuwedd, gwraig y Tywysog Lleu Llaw Gyffes. Mae'n hwyr. Hoffech chi aros dros nos yn y castell?"

Daeth yr arweinydd oddi ar ei geffyl. "Gronw Pebr ydw i," meddai. "Arglwydd Penllyn." Ac yna edrychodd ar Blodeuwedd a chochi at ei glustiau. Cochodd Blodeuwedd hefyd.

Arhosodd Gronw Pebr a'i ddynion yn y castell y noson honno, a'r noson ganlynol, a'r noson ganlynol hefyd. Arhoson nhw am bythefnos gron, ac erbyn diwedd y bythefnos roedd Gronw a Blodeuwedd mewn cariad.

"Ond beth fedrwn ni wneud?" gofynnodd Gronw, wrth i'r ddau fynd am dro yn y cae o flaen y castell. "Rwyt ti'n wraig briod."

Dechreuodd Blodeuwedd dynnu petalau oddi ar y blodyn menyn yn ei llaw, a meddwl yn ddwys. "Beth petawn i ddim yn briod? Beth petai Lleu'n marw?"

"Mae hynny'n amhosib. Mae pawb yn gwybod am y swynion sy'n gwarchod Lleu. Fedr neb ei ladd," meddai Gronw.

"Hen air diflas ydy amhosib," atebodd Blodeuwedd. "Dyma be wnawn ni. Dos di adre rŵan, cyn i Lleu ddod yn ôl. Mi siarada i efo o, a darganfod sut i'w ladd. Pan ga i'r ateb, mi anfona i neges atat ti."

Doedd Gronw ddim eisiau lladd neb, ond roedd o'n caru Blodeuwedd ac yn barod i wneud unrhyw beth drosti. Fore trannoeth, galwodd ei ddynion ynghyd a'u harwain yn ôl i Benllyn, gan addo gwneud beth bynnag fyddai Blodeuwedd yn ei ddymuno.

Wythnos yn ddiweddarach, daeth Lleu adre a gweld Blodeuwedd yn crio.

"Dwi wedi bod yn poeni cymaint amdanat ti," llefodd. "Pan oeddet ti i ffwrdd, ro'n i'n breuddwydio bob nos bod rhywbeth ofnadwy wedi digwydd i ti."

Chwarddodd Lleu. "Does dim rhaid i ti boeni. Ti'n cofio Gwydion, fy ewyrth? Mi wnaeth o fwrw pob math o swynion arna i pan o'n i'n tyfu i fyny. Fedr neb fy lladd i."

Roedd Gronw Pebr yn gywir, felly, meddyliodd Blodeuwedd. Sychodd ei llygaid a snwffian yn ddel. "Does gen i ddim ffydd yn dy Ewyrth Gwydion," meddai. "Beth os ydy o wedi gadael rhywbeth allan? Mae o'n hen ddyn, a byddai'n ddigon hawdd iddo anghofio."

Digiodd Lleu. "Amhosib," meddai. "Fy ewyrth ydy'r dewin gorau yng Nghymru."

Dechreuodd Blodeuwedd grio eto. Criodd drwy'r dydd a hanner y nos. Chafodd Lleu ddim eiliad o gwsg. Ochneidiodd a chodi ar ei eistedd yn y gwely. "Fedra i ddim cael fy lladd y tu mewn na'r tu allan," meddai. "Fedra i ddim cael fy lladd liw dydd na liw nos. Fedra i ddim cael fy lladd ar gefn ceffyl nac ar droed, pan dwi'n gwisgo dillad neu'n noeth. A dim ond un arf fedr wneud niwed i mi, sef gwaywffon a naddwyd bob dydd Sul am flwyddyn gyfan, pan oedd pawb yn yr eglwys, a fyddai neb yn fodlon colli'r eglwys am flwyddyn i wneud gwaywffon. Felly, fel y gweli di, dwi'n berffaith ddiogel a does dim rhaid i ti boeni."

Drannoeth, sgrifennodd Blodeuwedd at Gronw Pebr a dweud popeth wrtho. *Gwna di'r waywffon*, sgrifennodd, *ac mi ofala i am bopeth arall.*

Roedd hi'n falch bod ganddi flwyddyn gron i gyn-llunio'r cyfan. Byddai'n anodd iawn trechu swynion Gwydion. Ond erbyn i Gronw sgrifennu ati i ddweud ei fod yn barod, roedd Blodeuwedd yn barod hefyd.

Yn y cae rhwng y castell a'r goedwig roedd carreg fawr, mor dal ac mor llydan â dyn. Gorchmynnodd Blodeuwedd i rai o'r gweision adeiladu twba 'molchi yn ei hymyl. Dwedodd wrthyn nhw am roi to bach dros y twba i'w gysgodi, a pharatoi i'w lenwi â dŵr cynnes. "A gadewch i rai o'n geifr bori yn y cae," meddai. "Maen nhw'n edrych yn llwglyd."

Edrychodd y gweision yn gam arni, ond dilynon nhw'i gorchmynion.

Ychydig cyn machlud haul, dwedodd Blodeuwedd wrth y gweision am lenwi'r twba, yna sgipiodd yn sionc at Lleu. "Mae gen i syrpréis i ti," meddai.

Roedd Lleu'n hoffi cael syrpréis. "W, beth ydy o? Dwed wrtha i!"

"Rhaid i ti ddod efo fi," meddai Blodeuwedd. Clymodd sgarff am ei lygaid a'i arwain o'r castell ac ar draws y cae at y twba. Felly, wrth gwrs, welodd Lleu mo Gronw Pebr yn cuddio y tu ôl i'r garreg a'r waywffon yn ei law.

Safodd Blodeuwedd o flaen y twba a thynnu'r sgarff oddi ar lygaid Lleu. Syllodd Lleu o'i gwmpas yn siomedig.

"Beth ydy hwn?" gofynnodd.

"Twba ydy o, twmffat," meddai Blodeuwedd. "Rwyt ti'n eistedd ynddo a gwylio'r haul yn machlud. Mae'n rhamantus."

"Mae'n edrych yn wirion," cwynodd Lleu.

Pwdodd Blodeuwedd. "Adeiladais i o'n arbennig ar dy gyfer di."

Ochneidiodd Lleu. "O'r gorau. Mi a' i i mewn iddo. Ond paid â dechrau crio eto."

Tynnodd ei ddillad ac eistedd yn y twba, â'r to uwch ei ben.

Dydy o ddim i mewn nac allan, meddyliodd Blodeuwedd â gwên ar ei hwyneb.

Suddodd yr haul yn is. *Doedd hi ddim yn ddydd nac yn nos.*

Crynodd Lleu. "Dwi'n oer. Ga i ddod allan rŵan?"

Estynnodd Blodeuwedd dywel i'w lapio amdano.

Dim dillad amdano nac yn noeth.

"Aros," meddai, wrth i Lleu ddechrau camu o'r twba. "Mae gen i syniad doniol."

"Un arall?" ochneidiodd Lleu.

Chwarddodd Blodeuwedd a rhedeg i nôl un o'r geifr. "Saf ar ymyl y twba, a rhoi un droed ar gefn yr afr," meddai.

Syllodd Lleu arni fel petai'n wallgo. "Beth? Pam yn y byd y byddwn i'n sefyll ar afr? Wyt ti'n chwarae tric arna i? Oes 'na bobl yn cuddio o gwmpas? Ydyn nhw'n mynd i neidio allan, gweiddi 'Syrpréis' a gwneud hwyl am fy mhen?"

Gwasgodd Blodeuwedd ei llygaid nes iddyn nhw lenwi â dagrau.

"O, o'r gorau," meddai Lleu. "Ond dwyt ti ddim wedi gwahodd Yncl Gwydion, gobeithio. Fydd dim diwedd ar ei chwerthin."

Safodd yn ofalus ar ymyl y twba, estyn un droed a'i rhoi ar gefn yr afr.

Ddim ar gefn ceffyl nac ar droed.

"Syrpréis!" gwaeddodd Gronw Pebr. Neidiodd o'r tu ôl i'r garreg a thaflu'r waywffon.

Llamodd Lleu i'r naill ochr, ond llithrodd dros yr afr a syrthio. Trawodd y waywffon ei ysgwydd, ac â sgrech ofnadwy trodd Lleu yn eryr. Hedfanodd i ffwrdd gan adael llwybr o waed a phlu ar ei ôl.

"Wel, doeddwn i ddim yn disgwyl i hynna ddigwydd," meddai Gronw.

Aeth Blodeuwedd a Gronw yn ôl i'r castell a dweud wrth y gweision bod Lleu wedi cael damwain ddifrifol wrth godi o'r twba, ac wedi marw. Efallai bod y gweision wedi'u credu. Mwy na thebyg na wnaethon nhw ddim, ond fentrodd neb ddweud gair.

Roedd un person yn bendant yn gwrthod credu bod Lleu wedi marw. Gwydion, ei ewyrth, oedd hwnnw. Bob dydd âi i'r goedwig i chwilio am ei nai, ac un diwrnod gwelodd blu ar y llawr. Edrychodd i fyny a gweld eryr ar goeden. Roedd golwg hanner marw arno.

"Ti sy 'na, Lleu?" gofynnodd.

Trodd yr eryr yn Lleu unwaith eto, a syrthio i lawr o'r goeden.

Ddwedodd Gwydion 'run gair wrth neb. Cariodd Lleu i'w dŷ yn y goedwig a gofalu amdano am fisoedd lawer nes bod Lleu'n gryf unwaith eto.

Yn y cyfamser, roedd Blodeuwedd a Gronw Pebr yn byw'n hapus yn y castell ac wedi anghofio popeth am

Lleu – nes, un diwrnod, gwelodd Blodeuwedd ddyn yn marchogaeth ar draws y cae.

Suddodd ei chalon.

"Lleu ydy o," llefodd a rhedeg at Gronw. "Mae o'n fyw!"

Cydiodd Gronw yn ei gleddyf mewn dychryn. "Be wnawn ni?"

"Gwna di beth fynni di," meddai Blodeuwedd. "Dwi'n dianc." Dringodd drwy ffenest y castell a rhedeg i'r goedwig.

Edrychodd Gronw o'i gwmpas ar y gweision. Roedden nhw'n syllu arno fel petai'n llofrudd. Roedden nhw'n iawn, meddyliodd. Roedd o *yn* llofrudd. Ddylai o ddim fod wedi gwrando ar Blodeuwedd. Gollyngodd ei gleddyf a mynd i sefyll wrth gât y castell.

Marchogodd Lleu Llaw Gyffes tuag ato.

"Mi wnes i ddrwg i ti," meddai Gronw. "Mae'n flin gen i am geisio dy ladd. Dwed wrtha i sut medra i wneud iawn am hyn. Mi gei di arian, tir a cheffylau gen i. Beth bynnag wyt ti eisiau."

Daeth Lleu oddi ar ei geffyl. Roedd ei wyneb fel taran. "Dim ond un peth dwi eisiau," meddai, "sef taflu gwaywffon atat ti, fel y taflaist ti waywffon ata i."

Llyncodd Gronw mewn braw. "Ga i o leia ddewis ble i sefyll?" gofynnodd.

Nodiodd Lleu.

Yn crynu drosto, cerddodd Gronw o'r castell ac ar draws y cae nes cyrraedd y garreg fawr. Swatiodd y tu ôl iddi. "Safa di yr ochr draw," meddai. "Yn ddigon pell i ffwrdd, os nad oes ots gen ti."

Bydda i'n ddiogel fan hyn, meddyliodd.

Ond cododd Lleu ei fraich a hyrddio'r waywffon â'i holl nerth. Torrodd drwy'r garreg, a thrwy Gronw hefyd, a'i ladd yn y fan a'r lle.

A dyna ddiwedd Gronw Pebr. Ond beth am Blodeuwedd?

Daeth Gwydion o hyd iddi'n cuddio yn y goedwig.

Syrthiodd Blodeuwedd ar ei gliniau o'i flaen. "Paid â'm lladd i, da ti. Ti wnaeth fy nghreu i o flodau, felly arnat ti mae'r bai am bopeth."

Gwgodd Gwydion yn flin arni. Yn anffodus, roedd ei geiriau'n hanner gwir. Oedd, roedd o wedi rhybuddio Lleu bod gwragedd yn glyfar, a bod pobl glyfar yn beryglus.

"Paid â phoeni," meddai. "Wna i ddim dy ladd di." Cododd ei ddwylo a mwmian geiriau swyn. Teimlodd Blodeuwedd ei hun yn mynd yn llai ac yn llai. Tasgodd plu o'i chroen, trodd ei breichiau'n adenydd, a thyfodd ei llygaid yn fawr ac yn grwn. Pan agorodd ei cheg, dim ond hwtian ddaeth allan.

"Tylluan fyddi di am byth," meddai Gwydion. "Byddi di'n cuddio rhag yr haul a bydd pob aderyn arall yn dy ofni."

"Hw-w-w-w," meddai Blodeuwedd. "Hw-w-w-w." A hedfanodd i goeden o olwg pawb.

Dyna pam, os edrychi di'n fanwl ar dylluan, mi weli di fod ei hwyneb yn debyg i siâp blodyn.

Bydd yn ofalus iawn o flodau. Maen nhw'n edrych yn ddel, ond mae rhai'n cynllwynio i ladd.

Fy Mrawd, y Tylwythyn Teg

Mae gyda ni'r Cymry lawer o storïau am Dylwyth Teg.
Maen nhw'n byw o'n cwmpas, heb i ni sylweddoli fel arfer.
Os wyt ti'n siarad â rhywun, a hwnnw'n diflannu'n sydyn,
un o'r Tylwyth Teg oedd e mwy na thebyg. Weithiau mae'r
Tylwyth Teg yn cynnig help i bobl, ond weithiau maen
nhw'n hoffi achosi helynt. Dyma un o'r storïau hynny.

$\mathcal{R}$oedd Megan yn gwybod popeth am y Tylwyth Teg. Er pan oedd hi'n fach, roedd hi wedi gwrando ar Mam-gu'n dweud storïau amdanyn nhw. Roedden nhw'n byw yn y coed derw oedd yn tyfu yn y caeau rhwng bwthyn Mam-gu a'r fferm lle roedd Megan yn byw. Os clywet ti frigau'r coed yn siffrwd ar noson lonydd, dyna sŵn y Tylwyth Teg. Neu falle, wrth groesi cae dan leuad lawn, fe glywet ti leisiau'n canu yn y pellter. Os felly, dos adre ar unwaith i roi torth o fara a jwg o laeth wrth ddrws y gegin, rhag ofn bod y Tylwyth Teg yn llwglyd.

Bydd di'n garedig wrth y Tylwyth Teg, a byddan nhw'n garedig wrthot ti, meddai Mam-gu. *Ond os wyt ti'n eu digio, hyd yn oed ar ddamwain, byddi di'n difaru.*

Er siom i Megan, doedd Mam a Dad yn poeni dim am y rhybudd. Roedden nhw'n chwerthin bob tro roedd Mam-gu'n sôn am y Tylwyth Teg. Storïau dwl i ddychryn babanod, medden nhw. Ond doedd Megan ddim yn fabi. Roedd hi'n naw oed, ac yn ddigon hen i wybod bod rhai storïau mor wir â'r ddaear dan eich traed. Ac felly roedd hi'n gofalu gofyn caniatâd y coed derw cyn eu dringo, a phob nos cyn mynd i'r gwely roedd hi'n sleifio i'r hen gegin fawr ac yn rhoi torth o fara a jwg o laeth ar y llawr carreg ger y drws. Erbyn y bore, roedd y dorth bob amser wedi diflannu a'r jwg yn wag. Dyna sut oedd hi'n gwybod bod y Tylwyth Teg yn bodoli go iawn.

Nawr, roedd gan Megan frawd bach. Ei enw oedd Daniel, a dim ond chwe mis oed oedd e. Petait ti'n gofyn i Megan a oedd hi'n caru ei brawd, byddai'n crychu'i thrwyn ac yn dweud wrthot ti am beidio â gofyn y fath gwestiwn dwl ond, yn dawel bach, roedd hi'n caru'i brawd yn fawr iawn, yn fwy nag unrhyw beth yn y byd mawr crwn.

Roedd hi wedi bod yn flwyddyn brysur ar y fferm, a gwaith Megan oedd helpu i ofalu am Daniel. Roedd hi wrth ei bodd. Bob bore roedd hi'n neidio o'r gwely gyda'r wawr, yn codi Daniel o'i grud, yn ei wisgo ac yn mynd ag e i lawr staer lle roedd Mam yn paratoi brecwast i'r ddau ohonyn nhw. Yna, ar ôl brecwast, roedd Mam a Dad yn mynd i weithio ar y fferm, a Megan a Daniel yn chwarae.

Roedd Megan yn dyfeisio pob math o gemau. Un diwrnod bydden nhw'n fôr-ladron ffyrnig, drannoeth yn anturiaethwyr yn y jyngl, a'r diwrnod nesa'n hedfan drwy'r awyr.

"Rwyt ti'n ferch dda, Megan," meddai Mam, pan gyrhaeddai adre wedi blino'n lân ac yn barod am ei the. Byddai'n dweud hynny eto fin nos, wrth i Megan helpu i roi Daniel yn ei grud.

Roedd Megan yn hoffi bod yn ferch dda.

Daeth amser y cynhaeaf ac roedd Mam a Dad yn fwy prysur nag erioed.

"Diolch byth dy fod ti'n ferch mor dda," meddai Mam, gan roi Daniel ar lin Megan. "Dwi'n gwybod y bydd Daniel yn ddiogel gyda ti."

Gwenodd Megan arni'n gysglyd.

Y diwrnod hwnnw, pan oedd hi'n chwarae gyda Daniel, roedd hi'n cael trafferth cadw'n effro. Daeth Mam a Dad adre'n hwyr a syrthiodd y ddau i gysgu yn eu cadeiriau. Yn ddistaw bach aeth Megan â Daniel i'r gwely, ac yna cripian i'r gwely ei hun.

Roedd hi'n gorwedd yn gysurus dan y blancedi, pan gofiodd am fara a llaeth y Tylwyth Teg. Dechreuodd godi ar ei heistedd, gan feddwl mynd i lawr i'r gegin ar ei hunion, ond roedd hi'n flinedig iawn a'r gwely mor gynnes. Doedd hi ddim eisiau rhoi ei thraed ar y llawr oer.

Storïau dwl i ddychryn babanod – dyna roedd Mam a Dad yn ei ddweud. Doedd Megan ddim mor siŵr. Ond hyd yn oed os oedd y Tylwyth Teg yn real, bydden nhw'n siŵr o sylweddoli pa mor flinedig oedd hi, ac yn fodlon iddi golli *un* noson. Drannoeth, fe ofalai roi dwy dorth a dau lond jwg o laeth wrth y drws.

Ie, syniad da, penderfynodd Megan, gan agor ei cheg yn flinedig. Gorweddodd yn ôl ar y gwely ac mewn chwinciad roedd hi'n cysgu'n drwm. Welodd hi mo'r cysgod yn gwibio heibio'r ffenest, ac yn bendant chlywodd hi mo'r sgrech gas yrrodd gryndod drwy'r coed

Fore trannoeth, deffrodd Megan yn gynnar fel arfer, ond teimlodd ar unwaith fod rhywbeth yn wahanol. Wyddai hi ddim beth, chwaith. Roedd ei stafell yn edrych yn union 'run fath. Roedd hi wedi cicio'i blancedi'n fwndel yn y nos, ond roedd popeth arall yn ei le cywir, a phan agorodd y llenni roedd y caeau o ŷd melyn yn ymestyn o'i blaen a'r coed derw'n ysgwyd eu canghennau'n ddioglyd.

Doedd dim byd yn wahanol. Hi oedd yn dychmygu.

Gwisgodd Megan yn gyflym a rhedeg i lawr staer. Roedd Mam yn y gegin yn barod, yn bwydo Daniel.

"Mae e'n llwglyd iawn heddiw," meddai Mam, gan droi'i phen.

Safodd Megan yn stond. Roedd y babi yn y gadair uchel yn edrych yn debyg i Daniel. Roedd ganddo wyneb pinc crwn, gwallt tywyll, a chrychau bach annwyl yn ei fochau, yn union fel Daniel. Ond roedd rhywbeth o'i le.

"Nid Daniel yw hwnna," meddai Megan.

Chwarddodd Mam. "Beth?"

Giglodd y babi a chwifio'i freichiau. Edrychodd Megan ar y llawr ger drws y gegin, lle byddai'r plât a'r jwg wag yn sefyll fel arfer. Teimlodd ei bol yn suro fel hen laeth.

Chwarddodd y babi.

"Pwy wyt ti?" gofynnodd Megan. "Ble mae fy mrawd?"

"Paid â dechrau chwarae gemau cyn brecwast," meddai Mam. "Dwi'n rhy brysur nawr. Wnei di orffen bwydo dy frawd? Mae gen i waith i'w wneud."

Cydiodd Megan yn llwy a bowlen Daniel, ac estyn llwyaid o stiw afal i'r babi. Llowciodd yntau'r bwyd, sugno'r llwy, a gwenu'n ddanheddog ar Megan.

Oedd e wedi tyfu dant newydd ers ddoe?

Roedd Mam a Dad yn paratoi i fynd allan i weithio.

"Fe wnawn ni'n gorau i ddod adre'n weddol gynnar," meddai Mam. "Rwyt ti'n ferch dda, Megan."

Ond doedd Megan ddim yn teimlo fel merch dda.

Llusgodd y diwrnod yn ei flaen, gan deimlo'n hirach na chan mlynedd. Thynnodd Megan mo'i llygaid oddi ar y babi. Roedd hi'n gobeithio cael prawf mai fe oedd ei brawd go iawn – neu, fel arall, prawf mai twyllwr oedd e. Ond chafodd hi ddim prawf o gwbl. Roedd e'n edrych fel Daniel ac yn ymddwyn fel Daniel, er ei fod yn fwy llwglyd nag arfer, ond falle mai'r ffaith ei fod yn tyfu oedd yn gyfrifol am hynny.

Pan ddaeth Mam a Dad adre, roedd Megan yn dal yn ansicr. Aeth i'r llofft at ei thad oedd yn sgwrio'i ddwylo yn y bowlen fetal.

"Wyt ti'n meddwl bod Daniel yn edrych yn wahanol?" gofynnodd iddo.

Cipedrychodd Dad ar y babi ac ysgwyd ei ben. "Na. Mae'n gwenu mor hapus ag erioed. Mae ganddo chwaer fawr dda, dyna pam."

Teimlodd Megan y surni rhyfedd yn ei bol unwaith eto.

Y noson honno, cyn mynd i'r gwely, gadawodd ddwy dorth o fara a dau lond jwg o laeth wrth ddrws y gegin.

Fore trannoeth roedd y bara'n dal yno, y jygiau'n gorwedd ar eu hochrau, a'r llaeth yn bwll gwyn ar y llawr. Sylwodd y babi a chwerthin.

"Mae rhywbeth yn bod ar y babi," meddai Megan, pan ddaeth Mam i'r gegin.

Gwgodd Mam. "Dwyt ti ddim yn dal i chwarae'r gêm 'na, wyt ti? Ac rwyt ti wedi sarnu llaeth dros y llawr."

"Wnes i ddim sarnu'r llaeth," meddai Megan. "Roedd e ar y llawr pan godais i. Dwi'n meddwl mai bai'r Tylwyth Teg yw e. Maen nhw wedi digio, achos anghofiais i adael bara a llaeth iddyn nhw'r noson o'r blaen."

Gwgodd Mam yn waeth fyth. "Does 'na mo'r fath beth â Thylwyth Teg," meddai'n swta. "Ar Mam-gu mae'r bai, yn llenwi dy ben di â storïau. Dwi'n gwybod dy fod ti'n blino chwarae gyda Daniel drwy'r dydd, ond rydyn ni'n brysur iawn ar y fferm, felly rhaid i ti fod yn ferch dda a helpu."

Doedd Mam ddim yn deall. "Dwi'n hoffi helpu," meddai Megan. "Daniel yw'r babi gorau yn y byd – ond nid Daniel yw hwn."

Ochneidiodd Mam. "Megan, stopia hi. Does dim byd o'i le ar y babi, ond dwi'n dechrau meddwl bod rhywbeth o'i le arnat ti yn cwyno fel hyn."

Chwifiodd Daniel ei ddyrnau bach tew a giglan. Roedd e'n swnio braidd yn sbeitlyd, meddyliodd Megan. Doedd e erioed wedi swnio'n sbeitlyd o'r blaen.

Am ddau ddiwrnod, gwyliodd Megan y babi'n fwy manwl nag erioed. Doedd e ddim yn wahanol i unrhyw fabi arall. Roedd e'n bwyta, yn cropian, yn cysgu. Weithiau roedd e'n chwerthin, ac unwaith fe griodd pan oedd Mam yn rhoi bath iddo.

"Dyw e ddim yn hoffi'r dŵr heddiw," meddai Mam, gan rwbio'i ben â chlwt gwlyb.

Gwyliodd Megan o'r drws. Roedd Daniel wastad wedi mwynhau chwarae mewn dŵr. Nawr doedd e ddim yn gallu dioddef teimlad y dŵr ar ei groen.

Bydd di'n garedig wrth y Tylwyth Teg a byddan nhw'n garedig wrthot ti, oedd cyngor Mam-gu bob amser. Ond os wyt ti'n eu digio, hyd yn oed ar ddamwain, byddi di'n difaru.

Doedd Megan ddim yn difaru. Roedd hi o'i cho. "Tylwyth Teg ydych chi," meddai'n nes ymlaen, pan oedd y babi'n ôl yn ei grud. "Anghofiais i'r bara a'r llaeth am un noson, ac fe gipioch chi fy mrawd bach. Dyw hynny ddim yn deg o gwbl."

Agorodd y babi ei lygaid a syllu arni am eiliad â golwg ddofn, dywyll a hen yn ei lygaid. Ond wedyn giglodd, a mynd yn ôl i gysgu.

Chysgodd Megan fawr ddim y noson honno. Roedd hi'n deffro'n aml, yn meddwl ei bod yn clywed lleisiau tu allan.

Drannoeth, ar ôl i Mam a Dad adael y tŷ, gwisgodd ei chôt, lapio'r babi mewn blanced a chroesi'r caeau i weld yr unig berson fyddai'n ei chredu: Mam-gu.

Roedd Mam-gu'n synnu ei gweld, ac yn synnu'n fwy fyth pan roddodd Megan y babi i orwedd mewn stafell arall, a dweud y cyfan wrthi. Dweud ei bod wedi anghofio'r bara a'r llaeth, dweud ei bod hi'n teimlo nad Daniel oedd y babi, ond mai rhywbeth arall oedd e – rhywbeth dieithr iawn. Dweud bod y babi yma'n casáu dŵr, er bod Daniel yn ei hoffi.

Wnaeth Mam-gu ddim chwerthin, na dweud wrth Megan ei bod hi'n ddwl. Gwrandawodd yn dawel, ac ar ôl i Megan orffen eisteddodd yn ôl yn ei chadair, cau ei llygaid a meddwl.

"Dwi wedi clywed am y fath beth, er dyw e ddim yn digwydd yn aml," meddai Mam-gu. "Mae'r Tylwyth Teg yn cipio babi ac yn gadael tylwythyn yn ei le. Dyw'r rhan fwyaf o bobl ddim yn gweld y gwahaniaeth."

"*Dwi'n* gweld y gwahaniaeth," meddai Megan. "Sut galla i gael Daniel yn ôl?"

Meddyliodd Mam-gu eto. "Mae'r Tylwyth Teg yn defnyddio hud a lledrith i'n twyllo ni," meddai. "Dim ond y gwir all chwalu'r hud. Dyma beth sy'n rhaid i ti wneud – cael y babi yma i gyfaddef pwy yw e."

"Ond sut galla i wneud hynny?" gofynnodd Megan.

Closiodd Mam-gu ati a sibrwd yn ei chlust.

Dechreuodd Megan wenu.

Awr yn ddiweddarach, roedd hi'n brysio adre ar draws y caeau â'r tylwythyn yn ei breichiau. Allai hi ddim dioddef ei alw'n Daniel erbyn hyn.

Roedd hi bron yn amser te pan gyrhaeddodd hi adre. Dododd y babi'n syth yn ei gadair uchel yn y gegin. Yna, a'i chalon yn curo'n wyllt, torrodd wy a golchi hanner y plisgyn.

Cipedrychodd ar y babi. Roedd e'n gwylio. *Da iawn*, meddyliodd Megan. Estynnodd y jar o flawd ceirch oddi ar y silff, a rhoi llond llwy de ohono yn y plisgyn. Ychwanegodd ddau lond llwy de o laeth. Yn ofalus iawn, gan ddefnyddio gwlanen i warchod ei dwylo, dododd y plisgyn wy wrth ymyl y tân, a'i wylio nes i'r llaeth ddechrau byrlymu.

Roedd y babi'n dal i wylio, a'i dalcen yn crychu mewn syndod.

Trodd Megan ei chefn ato a gwenu'n dawel bach. Gyda help y wlanen, cododd y plisgyn o'r lle tân a'i gario at y drws cefn.

"Mam!" gwaeddodd. "Dwed wrth y gweithwyr am ddod i gael te. Dwi wedi gwneud digon o uwd i bawb."

Clywodd sŵn y tu ôl iddi. Roedd y babi'n chwerthin yn groch, nid fel babi o gwbl. "Wel, wir," meddai. "Dwi'n hŷn na'r coed derw sy'n tyfu tu allan, ond welais i erioed yn fy myw beth mor ddwl â hyn."

Trodd Megan yn sydyn i'w wynebu. "Ha!" ebychodd.

Gwasgodd y tylwythyn ei ddwylo dros ei geg. "Ddwedais i ddim byd. Ti'n sy'n dychmygu."

"Ble mae fy mrawd?" gofynnodd Megan yn chwyrn.

Chwifiodd y babi ei ddwylo a chwerthin.

"Alli di mo 'nhwyllo i," meddai Megan. "Rho fy mrawd yn ôl neu . . ." Cofiodd ei fod wedi crio yn y bath. " . . . fe dafla i di i'r pwll hwyaid tu allan."

Crynodd y tylwythyn. "Oes raid i ti? Dwi'n casáu bod yn wlyb."

Plethodd Megan ei breichiau. "Rho Daniel yn ôl i fi a dwi'n addo rhoi bara a llaeth i chi bob nos."

"Gawn ni fenyn hefyd?" gofynnodd y tylwythyn.

"O'r gore. Ond dim ond weithiau, neu bydd Mam yn sylwi."

Gwenodd y tylwythyn arni a diflannu mewn fflach lachar. Lai nag eiliad yn ddiweddarach roedd Daniel yn ôl yn ei le, yn berffaith iach ac yn chwerthin yn hapus. Cododd Megan ei brawd yn ei breichiau a'i wasgu'n dynn.

Agorodd y drws, a daeth Mam i mewn. "Ble mae'r uwd?" gofynnodd.

"Does dim uwd," meddai Megan. "Tric oedd e."

Ochneidiodd Mam. "Wel, Megan, rwyt ti'n ferch ddrwg weithiau."

Ond edrychodd Megan ar ei brawd bach, yn iach a diogel yn ei breichiau, a doedd dim ots ganddi beth ddwedai neb. Roedd hi'n gwybod ei bod yn chwaer fawr dda iawn, a dyna oedd yn bwysig.

Gelert Ddewr

Mae Cymru'n llawn storïau. Storïau hapus, storïau hud a lledrith, storïau iasoer. Storïau i wneud i ti chwerthin, storïau i wneud i ti grio.

O'r holl storïau trist, stori Gelert yw'r dristaf o bell ffordd.

Wyt ti'n barod amdani?

Dros wyth can mlynedd yn ôl, roedd tywysog o'r enw Llywelyn yn byw yng Nghymru. Roedd Llywelyn yn caru dau beth yn fwy na dim arall yn y byd: ei fab bach Dafydd, a'i gi Gelert.

Ci hela oedd Gelert. Roedd yn fwy o faint, yn gyflymach ac yn gryfach nag unrhyw gi yng Nghymru. Roedd ei flew mor ddu â'r awyr ganol nos a'i lygaid brown disglair yn graff a deallus. Yn ôl Llywelyn, roedd y ci'n deall pob gair a ddwedai. Bob tro roedd o'n clywed llais Llywelyn roedd Gelert yn codi'i glustiau, ac yn neidio i fyny a'i gynffon yn ysgwyd mor gyflym nes gwneud i bawb neidio o'i ffordd.

Bob gaeaf, roedd Llywelyn wrth ei fodd yn hela ym mynyddoedd gogledd Cymru. Ond roedd y flwyddyn hon yn wahanol gan mai dim ond ychydig fisoedd oed oedd Dafydd, a doedd Llywelyn ddim yn siŵr am faint o amser y byddai oddi cartref. Doedd o ddim eisiau gadael ei fab am amser hir, felly penderfynodd fynd â'r babi efo fo.

Yn ôl eu harfer, arhosodd Llywelyn a'i ddilynwyr mewn tref fach ger mynyddoedd Eryri, a'r bore cyntaf codon nhw'n gynnar i fynd i hela. Roedd yn fore braf. Curai'r ceffylau eu traed yn eiddgar, a chyfarthai'r cŵn mewn cyffro gan redeg dan draed pawb.

Yna sylwodd Llywelyn fod Gelert ar goll. *Rhyfedd iawn*, meddyliodd. Gelert oedd bob amser yn arwain y cŵn eraill. Doedd o byth yn methu.

Aeth Llywelyn yn ôl i'r tŷ, yn poeni am ei gi. Clywodd y gweision yn gweiddi. Rhedodd Llywelyn i stafell y babi ac yno roedd Gelert yn gorwedd dan y ffenest, a'i lygaid mawr brown wedi'u hoelio ar y crud.

Roedd y gweision yn ceisio'i hel i ffwrdd. Ddylai ci ddim bod yn agos at fabi, medden nhw, yn enwedig ci mawr, cryf fel Gelert. Beth petai o'n gwneud niwed i'r bachgen?

Chwarddodd Llywelyn. "Mae Gelert yn gwarchod y babi," meddai. "Fyddai o byth yn gwneud niwed i Dafydd. Gadewch lonydd iddo."

Aeth yn ôl at ei helwyr. Pan ddaethon nhw adre'r noson honno, rhedodd Gelert o'r tŷ, neidio at Llywelyn a llyfu ei ddwylo.

Dyna oedd yn digwydd bob dydd. Yn y bore, roedd Llywelyn a'i ddynion yn mynd i hela gan adael Gelert ar ôl, a phob nos roedd Gelert yn rhedeg o'r tŷ i'w groesawu'n ôl.

Cyn hir, roedd y gweision yn gyfarwydd â gweld y ci yn y tŷ. Yn wir, mi benderfynon nhw ei fod yn syniad da. Doedd y babi bron byth yn crio, ac roedd pawb yn gwybod ei fod yn berffaith ddiogel â'r ci mawr yn gofalu amdano, felly roedden nhw'n gadael iddo gysgu ac yn mynd ymlaen â'u gwaith.

Ond yna, un noson, pan ddaeth Llywelyn adre ar ôl diwrnod hir o hela, doedd dim sôn am Gelert. Roedd hyn yn rhyfedd dros ben. Heb aros i dynnu ei arfwisg na'i gleddyf, brysiodd Llywelyn i'r tŷ.

Wrth nesáu at stafell y babi, clywodd sŵn dychryn-llyd. Udo a chwyrnu a sŵn pethau'n disgyn ar lawr.

Tynnodd Llywelyn ei gleddyf a rhedeg i'r stafell, ei galon yn morthwylio. Taflodd y drws ar agor, a gweld crud y babi ben i waered yng nghanol y stafell. Roedd y rygiau ffwr blith draphlith dros y llawr, a Gelert yn swatio yn eu canol a gwaed yn diferu o'i geg.

Roedd fel petai'r byd wedi sefyll yn ei unfan. Fedrai Llywelyn ddim teimlo'i anadl ei hun. Roedd rhuo mawr yn ei glustiau, a rhybudd y gweision yn atseinio yn ei ben. *Ddylai ci ddim bod yn agos at fabi, yn enwedig ci mawr, cryf fel Gelert!*

Wrth i Llywelyn sefyll yno fel talp o rew, dechreuodd cynffon Gelert ysgwyd, a sbonciodd dros y rygiau at y tywysog. Oedd o'n dod i'w groesawu, neu ymosod arno? Doedd gan Llywelyn ddim syniad. Fedrai o ddim meddwl. Pan neidiodd Gelert ato, â gwaedd dorcalonnus cododd Llywelyn ei fraich a phlymio'i gleddyf i gorff ei gi annwyl – y ci oedd wedi lladd ei fab.

Syrthiodd Gelert yn farw wrth draed Llywelyn.

Safodd y tywysog uwch ei ben, yn ymladd am ei anadl, a'r cleddyf yn llithro o'i law. Ac yna, yn y tawelwch, clywodd sŵn crio o dan y crud.

Roedd ei fab yn fyw!

Brysiodd Llywelyn yn drwsgl at y crud, a'i godi â'i wynt yn ei ddwrn. Gorweddai'r babi ar y llawr, yn holliach.

Wrth i Llywelyn blygu i godi'r plentyn, gwelodd rywbeth arall. Yn gorwedd yng nghanol y ffwr ar y llawr roedd corff blaidd llwyd. Rhaid bod y creadur wedi arogli'r babi, wedi dringo drwy'r ffenest, a Gelert – Gelert ddewr – wedi'i ladd.

Daeth dagrau i lygaid Llywelyn. Disgynnodd ar ei liniau yn ymyl Gelert. "Mae'n wir ddrwg gen i," sibrydodd. "Wnes i ddim sylweddoli. Ro'n i'n meddwl dy fod ti . . ." Tagodd. Sut medrai o fod wedi credu am eiliad bod Gelert wedi lladd ei fab?

Cododd yn grynedig a rhoi'r babi yn ôl yn ei grud. Yna cododd gorff ei gi ffyddlon a'i gario o'r tŷ. Â'i lais yn torri, dwedodd wrth bawb beth oedd wedi digwydd.

Criodd pawb. Trefnwyd angladd i Gelert, ac aeth ei stori ar led. Cododd Llywelyn gofeb yng nghanol y dref, a newid enw'r dref i Beddgelert. Mae'r gofeb yno o hyd.

Yn ôl yr hanes, torrodd Llywelyn ei galon y diwrnod hwnnw, a wnaeth o ddim gwenu byth wedyn.

Pont y Diafol

Stori am gi yw hon, 'run fath â stori Beddgelert, ond mae'r
diweddglo'n fwy hapus o lawer. Os wyt ti'n ddigon ffodus
i fynd i bentref Pontarfynach yng nghanolbarth Cymru, fe
weli di raeadrau hardd lle mae'r afon Mynach yn disgyn
drwy geunant cul. Mae pont garreg yn croesi'r ceunant.
Ei henw yw Pont y Diafol, a dyma pam.

C i oedd Patsh, ac, yn ei farn e doedd dim yn y byd mawr crwn yn well na bod yn gi. Wfft i ddwy goes a bysedd a bodiau! Gwell o lawer gan Patsh oedd cael rhuthro o gwmpas ar bedair coes, a chyfarth yn uchel i ddychryn y cathod.

Nid Patsh oedd y ci mwyaf yn yr ardal, na'r lleiaf chwaith. Cymysgedd cyffredin o ddu a gwyn oedd ei gôt, a phan oedd e'n cyffroi – ac roedd hynny'n digwydd yn aml iawn – roedd ei glustiau'n codi a'i gynffon fain yn ysgwyd fel y gwynt. Doedd e ddim yn perthyn i unrhyw un o bobl y pentref, ond merch o'r enw Anna oedd ei ffefryn. Dim ots pa mor brysur oedd Anna, roedd hi bob amser yn aros i chwarae gydag e, ac yn aml byddai'n estyn sosej neu ddarn o gaws o'i basged siopa pan oedd neb yn edrych. Roedd Anna'n garedig wrth bob un o gŵn y pentref, ond roedd Patsh yn hoffi meddwl bod ei llais yn fwy cynnes pan oedd hi'n dweud helô wrtho fe, a'i bod yn rhoi'r darnau gorau o sosej iddo hefyd.

Anna oedd yr ieuengaf yn ei theulu, ac roedd ei mam a'i thad fel petaen nhw'n treulio hanner eu hamser yn dweud wrthi beth i'w wneud, a'r hanner arall yn ei dwrdio am fethu gwneud pethau'n iawn. Un o'i thasgau oedd gofalu am y fuwch oedd yn rhoi llaeth i'r teulu. Creadur dwl oedd y fuwch. Roedd hi byth a hefyd yn crwydro i ffwrdd a mynd ar goll, a

Mam a Dad yn beio Anna am ei cholli, er doedd dim bai o gwbl ar Anna. Doedd hynny ddim yn deg, meddyliodd Patsh, a phe bai e'n dysgu iaith pobl, byddai'n siŵr o roi pryd o dafod i'w rhieni am fod mor gas wrthi.

Un haf, roedd y tywydd wedi penderfynu troi'n aeafol. Roedd pob diwrnod yn oer, a'r glaw yn disgyn mor drwm nes bod pyllau o ddŵr ar y strydoedd, a'r afon Mynach yn taranu drwy'r ceunant yn ymyl y pentref. Gwnaeth Patsh gwtsh bach iddo'i hun yn y coed ger y ceunant a chysgodi yno rhag y glaw.

Un noson, deffrodd Patsh o'i gwsg. Clywodd y glaw – wrth gwrs – a'r afon yn rhuo'n fwy swnllyd fyth, ond hefyd, yn gymysg â nhw, clywodd lais Anna. Sgrialodd Patsh o'i loches ac ysgwyd ei hun.

Ie wir, dacw hi! Roedd Anna'n sefyll ar ymyl y ceunant, yn syllu ar ei draws. A beth oedd yr ochr draw ond y fuwch ddwl frown a gwyn, yn brefu'n wyllt. Sut yn y byd oedd hi wedi cyrraedd yno? Doedd gan Patsh ddim syniad. Rhaid ei bod wedi cerdded am filltiroedd i chwilio am le i groesi'r afon. Naill ai hynny neu roedd hi wedi hedfan, ond roedd Patsh yn weddol siŵr nad oedd gwartheg yn gallu hedfan.

Trodd Anna i edrych ar Patsh yn rhedeg tuag ati. "Be wna i?" llefodd. "Os na cha' i afael ar y fuwch, fe fydda i mewn helynt mawr!"

Doedd Patsh ddim yn deall pam. Doedd Anna ddim wedi taflu'r fuwch ar draws y ceunant, oedd hi? Felly nid arni hi oedd y bai.

Estynnodd Anna ei throed dros y ceunant, fel petai am neidio i'r afon a nofio i'r ochr draw, ond camodd yn ôl yn syth. Call iawn. Dim ond pwten fach oedd hi. Petai hi'n neidio i'r afon, fe gâi ei sgubo i ffwrdd cyn i Patsh ddweud "Bow-wow!"

Tra oedd Anna'n sefyll ar y lan yn poeni am y fuwch, daeth dyn ati. Rhaid ei fod e wedi cerdded, meddyliodd Patsh, achos yn sydyn roedd e'n sefyll yn ymyl Anna, a doedd pobl ddim yn gallu ymddangos o'r awyr. Gwisgai ddillad smart, fel bonheddwr – côt hir a het dal – ond roedd 'na fymryn o arogl rhyfedd o'i gwmpas, rhyw arogl llosgi er ei bod hi'n dal i arll-wys y glaw. Hefyd, sylwodd Patsh fod y dyn dierth yn hollol sych, er ei fod e ac Anna'n wlyb sopen. Roedd y diferion glaw'n newid cyfeiriad cyn taro het y dyn, ac yn disgyn o'i gwmpas heb gyffwrdd ag e.

"Noswaith dda," meddai'r gŵr bonheddig gan godi'i het yn gwrtais. "Beth yw'r broblem?"

Chwyrnodd Patsh. Gwgodd y bonheddwr a chamu o'i ffordd.

"Y broblem," meddai Anna'n ddrwgdybus, "yw fy mod i yr ochr yma i'r afon, fel y gwelwch chi, a buwch y teulu ar yr ochr draw. Sut galla i ei chael hi'n ôl?"

Chwarddodd y dyn dierth. "Digon hawdd! Galla i godi pont dros yr afon i ti nawr."

Paid â gwrando! Tric yw e! cyfarthodd Patsh.

Ond roedd Anna'n syllu ar yr afon, a'i phen ar un ochr fel petai'n meddwl. "Pa fath o bont?" gofynnodd.

"Pont garreg," atebodd y bonheddwr. "Un fydd yn para am gan mlynedd o leia."

Triodd Patsh gnoi migwrn y dyn, ond gyrrodd Anna e i ffwrdd. Roedd yr arogl llosgi'n gryfach nag erioed, a beth oedd honna'n ymestyn o dan siaced y dyn? Cynffon!

"A beth fydd eich pris?" gofynnodd Anna.

Edrych! Edrych – cynffon! Does gan bobl ddim cynffonnau!

Gwenodd y dyn dierth. "Pris rhesymol iawn. Y cyfan dwi eisiau yw'r enaid byw cyntaf fydd yn croesi'r bont."

Aha! Tric yw hyn, meddyliodd Patsh. *Dyw e ddim yn ddyn go iawn.* Roedd e'n rhywbeth hŷn o lawer, yn llawn hud peryglus. Digon posib mai fe roddodd y fuwch yr ochr draw i'r afon yn y lle cyntaf. Fyddai Patsh yn synnu dim.

"Sh, Patsh," meddai Anna gan blygu i lawr i grafu ei ben. Fel arfer, roedd Patsh yn mwynhau hynny, ond y tro hwn, symudodd draw oddi wrthi, a chwyrnu ar yr esgus-bonheddwr.

Edrychodd y tri dros yr afon wyllt at y fuwch. *Falle gallwn i nofio draw a'i harwain hi'n ôl at Anna*, meddyliodd Patsh. Ond na, doedd dim gobaith.

"Dyna drueni," meddai'r esgus-bonheddwr wrth Anna. "Os mentri di nofio drwy'r afon, fe gei dy gludo gan y llif. Ac os cerddi di i fyny'r afon i chwilio am groesfan, bydd y fuwch wedi crwydro i ffwrdd cyn i ti gyrraedd yn ôl. Byddai'n well o lawer i ti dderbyn fy nghynnig i." Syllodd ar ei ewinedd, lle roedd ambell bluen o fwg yn codi. "Wrth gwrs, os nad oes diddordeb gen ti, bydd rhywun arall yn y pentref yn falch o'r cyfle. Falle byddai dy rieni'n hoffi cael pont?"

"Gadewch fy nheulu i mas o hyn," meddai Anna'n swta.

Cododd yr esgus-bonheddwr goler ei gôt. "Hm! Erbyn meddwl, falle dylet ti fynd adre i ddweud wrth dy rieni dy fod wedi colli'r fuwch. Arhosa i amdanyn nhw fan hyn."

Cochodd Anna. Dechreuodd y fuwch frefu eto.

Paid â gwneud dim! cyfarthodd Patsh. Doedd Anna ddim ar fai – nid hi oedd wedi colli'r fuwch. Ond erbyn hyn roedd Anna'n poeni mwy am ei theulu.

"Os pryna i'r bont," meddai Anna, "wnewch chi addo mynd i ffwrdd a pheidio â dod yn ôl i Gymru byth eto?"

Crychodd talcen yr esgus-dyn, ac yna estynnodd ei law. "Dwi'n addo," meddai.

Cyn i Patsh allu ei rhwystro, ysgydwodd Anna law y dyn.

Chwyrnodd yr awyr. Rholiodd cymylau tew, tywyll uwch eu pennau, a disgynnodd y glaw yn fwy chwyrn nag erioed. Cododd cymylau bach o stêm o'r pyllau dŵr. Gallai Patsh deimlo bob blewyn ar ei gorff yn sefyll yn syth.

Yna dechreuodd cerrig godi o'r afon. Roedd mellt yn fflachio, a'r awyr yn llawn sŵn morthwylio a lleisiau rhyfedd yn canu. Swatiodd Anna yn ymyl Patsh. Roedd y ddau'n methu stopio crynu.

Ymhen ychydig funudau, goleuodd yr awyr, peidiodd y glaw, a gwelodd Patsh bont yn croesi'r ceunant. Roedd wedi'i gwneud o hen gerrig llwyd, ac edrychai'n gryf a chadarn, fel petai hi wedi bod yno erioed.

Sythodd yr esgus-bonheddwr lewys ei siaced. "Dyna ni," meddai. "Dyna dy archeb di. Un bont, yn barod i'w defnyddio. Tala amdani nawr, os gweli di'n dda, ac fe a' i i ffwrdd."

Suddodd ysgwyddau Anna. "Eistedd, Patsh," meddai.

Na! Beth ar y ddaear wyt ti'n wneud?

Edrychodd Anna'n ôl ar ei chartref.

Petai'r esgus-bonheddwr yn mynd ag Anna i ffwrdd, fyddai 'na neb i grafu pen Patsh, nac i roi'r darnau gorau o sosej iddo'n slei bach. Fyddai 'na ddim Anna.

Roedd yr arogl llosgi mor gryf nes gwneud i Patsh disian. Yn sydyn, ymddangosodd yr esgus-bonheddwr yr ochr draw i'r bont, er doedd Patsh ddim wedi sylwi arno'n cerdded drosti.

Dododd Anna un droed ar y bont, ac yna un arall.

Dere'n ôl! cyfarthodd Patsh, a rhedeg ati.

Mae pedair coes bob amser yn gyflymach na dwy. Aeth Patsh heibio Anna'n hawdd a chroesi'r bont ar ras. Neidiodd at yr esgus-bonheddwr gan gyfarth yn chwyrn, a'i gynffon yn ysgwyd fel y gwynt.

Dyna ti! Fi yw'r enaid byw cyntaf dros y bont. Nawr rhaid i ti adael llonydd i Anna a mynd â fi yn ei lle.

Gwthiodd yr esgus-bonheddwr Patsh i ffwrdd. "Pam bydden i eisiau ci?" gwaeddodd ar Anna. "Rwyt ti wedi fy nhwyllo i!"

"Na, wnes i ddim," meddai Anna. "Patsh wnaeth."

Brefodd y fuwch a tholcio'r esgus-bonheddwr gan geisio'i wthio i mewn i'r afon. Doedd y fuwch ddim mor ddwl wedi'r cyfan! Stampiodd yr esgus-bonheddwr ei draed mewn tymer a diflannu mewn cwmwl o fwg drewllyd. Ond arhosodd y bont yn y fan a'r lle, yn croesi'r afon o un ochr i'r llall – ac mae hi'n dal yno hyd heddiw.

A beth am Anna, Patsh a'r fuwch? Brysiodd y tri tuag adre, a dwedodd Anna wrth ei rhieni beth oedd wedi digwydd. Dwedodd hefyd y byddai Patsh yn byw yn y tŷ gyda nhw o hynny ymlaen, a doedd dim iws dadlau. Ond ar ôl clywed y stori syfrdanol a gweld y bont, roedd Mam a Dad wrth eu boddau. Dwrdion nhw Anna a'i chofleidio, ac addo y byddai Patsh yn byw gyda nhw am byth. Ac fe wnaeth. A fe oedd bob amser yn cael y darnau gorau o sosej.

Rhiannon a Pwyll

Dyma stori arall o'r Mabinogi, lle roedd y Byd Arall a'i hud
a lledrith bob amser o fewn cyrraedd.

Roedd Pwyll, Tywysog Dyfed, yn hoffi cwmni pobl. Roedd yn casáu bod ar ei ben ei hun, ac wrth ei fodd yng nghanol torf. Roedd ganddo griw o gant o farchogion, pob un ohonyn nhw'n ffrind da, a doedd e byth yn gwneud dim heb ei ffrindiau wrth ei ochr.

Roedd yn od, felly, ei fod wedi diflasu. Roedd wedi treulio'r dydd yn gwledda yn ei gastell, ac roedd ei ffrindiau'n dal i chwerthin a bwyta, ond roedd Pwyll wedi cael llond bol o fwyd a doedd jôcs ei ffrindiau ddim mor ddoniol erbyn hyn.

Ochneidiodd yn drwm. "Dwi eisiau gwneud rhywbeth gwahanol," cyhoeddodd. "Rhywbeth dwi erioed wedi'i wneud o'r blaen."

Chwarddodd ei ffrindiau i gyd, cyn sylweddoli ei fod o ddifri. Cododd un o'r marchogion ar ei draed a phwyntio drwy ffenest y plas. "Weli di'r bryn acw?" meddai. "Yn ôl y sôn, mae pwy bynnag sy'n dringo'r bryn yn cael cleisiau drosto i gyd, yn union fel petai rhywun wedi ei guro â ffyn, neu fel arall mae'n gweld rhywbeth rhyfeddol."

Doedd Pwyll erioed wedi clywed y stori hon. Mwy na thebyg bod ei ffrindiau'n gwneud hwyl am ei ben. Ond dim ots, roedd e'n mynd i esgus credu pob gair. "Does dim ofn cleisiau arna i," meddai, "a byddwn i wrth fy modd yn gweld rhywbeth rhyfeddol. Dwi'n mynd i roi cynnig arni."

Cerddodd allan o'r castell a brasgamu i fyny'r bryn. Wfff! Roedd y bryn dipyn yn fwy serth na'r disgwyl! O'r diwedd, cyrhaeddodd y copa gan anadlu'n drwm, ac eistedd i lawr.

Cyn gynted ag y cyffyrddodd ei ben-ôl y glaswellt, gwelodd wraig yn marchogaeth ar draws y ddôl islaw. O ble oedd hi wedi dod? Doedd hi ddim yno o'r blaen. Allai Pwyll mo'i gweld yn glir o ben y bryn, ond roedd hi'n edrych yn brydferth. Gwisgai ffrog hir liw aur, ac roedd ei cheffyl mor wyn nes bron â dallu Pwyll.

Neidiodd Pwyll ar ei draed ac oedd, roedd hi'n dal yno. Rhuthrodd i lawr y bryn, gan chwifio'i freichiau a bron â baglu dros ei draed ei hun. Edrychodd y wraig arno, a heb ddweud gair trodd ei cheffyl mewn hanner cylch a marchogaeth i ffwrdd yn araf.

Gwenodd Pwyll iddo'i hun a rhedeg ar ei hôl. Ond digwyddodd rhywbeth rhyfedd. Er bod y wraig yn marchogaeth yn araf, a Pwyll yn rhedeg yn gyflym, allai e mo'i dal. Symudodd ymhellach ac ymhellach oddi wrtho, nes diflannu i'r pellter.

Herciodd Pwyll yn ôl i'r castell, yn chwys drabŵd ac yn fyr o wynt, a dweud wrth ei farchogion beth oedd wedi digwydd. Chwarddodd pawb a churo'i gefn. "Paid â phoeni," medden nhw. "Helpwn ni di i ddal y wraig fory."

Drannoeth, yn gynnar yn y bore, aeth Pwyll i fyny'r bryn eto. Y tro hwn roedd ei gant o farchogion yn aros y tu ôl i'r bryn ar gefnau'u ceffylau.

Eisteddodd Pwyll i lawr ar y copa. Ymhen ychydig, daeth y wraig i'r golwg.

"Dacw hi!" gwaeddodd Pwyll. Sbardunodd y marchogion eu ceffylau a charlamu ar ei hôl.

Cipedrychodd y wraig ar Pwyll. Roedd golwg braidd yn ddig arni heddiw, meddyliodd. Tybed pam? Trodd a marchogaeth yn araf i ffwrdd a'r marchogion yn ei dilyn. Er bod y marchogion yn carlamu'n wyllt, a rhai'n llithro o'r cyfrwy yn eu brys, chymerodd y wraig ddim sylw. Cerddodd ei cheffyl gwyn yn ei flaen, ac er bod y marchogion yn carlamu eu gorau glas, symudodd ymhellach ac ymhellach i ffwrdd nes diflannu i'r pellter.

Daeth y marchogion yn ôl i'r castell yn siomedig. "Rhith yw'r wraig," medden nhw wrth Pwyll. "All neb ei dal."

Doedd Pwyll byth yn anghytuno â'i ffrindiau fel arfer, ond y tro hwn doedd e ddim yn siŵr. *Fe ro i un cynnig arall*, meddyliodd.

Y bore canlynol, marchogodd o'r castell ar ei ben ei hun. Byddai ei ffrindiau'n siŵr o wneud hwyl am ei ben petaen nhw'n gwybod ei fod am fynd yn ôl i gopa'r bryn. Marchogodd hanner y ffordd i fyny, yna gadael ei geffyl, cerdded am weddill y ffordd ac eistedd i lawr.

Dacw'r wraig! Roedd hi'n marchogaeth yn araf o gwmpas y bryn, gan edrych i fyny ato bob hyn a hyn.

Rhuthrodd Pwyll i lawr y bryn, neidio ar ei geffyl a'i dilyn. Cerddai'r ceffyl gwyn yn araf, fel o'r blaen, ond er i geffyl Pwyll garlamu ei orau glas, allai e mo'i dal.

"Hei!" gwaeddodd. "Ti ar y ceffyl 'na!"

Hm! Falle bod hynny'n swnio braidd yn anfoesgar.

"Y, esgusoda fi, ddylwn i ddweud. Fyddai ots gen ti arafu ychydig bach?"

Ar y gair, safodd y wraig yn stond. Roedd Pwyll yn carlamu mor gyflym nes rhuthro heibio iddi. Trodd a marchogaeth yn ôl, gan deimlo fel pe bai mewn breuddwyd.

"Pam na wnest ti stopio o'r blaen?" gofynnodd.

Chwarddodd y wraig. "Wnest ti ddim gofyn i fi."

Cochodd Pwyll. *Diolch byth nad yw fy ffrindiau o gwmpas*, meddyliodd. "Beth yw dy enw di?" gofynnodd. "Pam wyt ti'n marchogaeth fan hyn?"

Gwenodd y wraig a chochodd Pwyll – roedd hi'n bert iawn. "Fy enw i yw Rhiannon," meddai, "a dwi'n dywysoges. Mae fy nhad am i fi briodi dyn dwi ddim yn ei hoffi, felly fe redais i ffwrdd. Dwi'n chwilio am

Pwyll, Tywysog Dyfed. Dwi wedi clywed ei fod yn dywysog arbennig iawn."

"Ond fi yw Pwyll!" gwaeddodd Pwyll.

Disgleiriodd llygaid Rhiannon. "Yna mae gen i gwestiwn i ti," meddai. Camodd yn osgeiddig o'r cyfrwy a phwyso un ben-glin ar y glaswellt. "Dywysog Pwyll, wnei di fy mhriodi i?"

Syrthiodd Pwyll oddi ar ei geffyl.

O'r diwedd, llwyddodd i dynnu'n rhydd o'r awenau a chodi ar ei draed. "Gwnaf, wrth gwrs," atebodd. Roedd hi'n bert a hudolus, ac yn gallu marchogaeth yn well nag unrhyw un o'i farchogion. Roedd e'n ysu am gael sôn amdani wrth ei ffrindiau.

Ysgydwodd Rhiannon ei phen. "Rhaid i ti beidio â sôn gair wrth neb am hyn," meddai. "Os bydd rhywun yn clywed, falle dwedan nhw wrth yr Arglwydd Gwawl, y dyn dwi i fod i'w briodi. Mae'r briodas wedi'i threfnu ar gyfer blwyddyn i fory, felly rhaid i ti ddod i dŷ fy nhad ymhen blwyddyn union."

"Pam na allwn ni'n dau briodi'n syth?" gofynnodd Pwyll.

"Achos bydd fy nhad yn troi yn fy erbyn, a dwi ddim eisiau i hynny ddigwydd." Dringodd Rhiannon yn ôl i'r cyfrwy. "Ymhen blwyddyn. Paid ag anghofio."

Aeth Pwyll yn ôl i'r castell a'r gyfrinach yn llosgi y tu mewn iddo. Roedd ei ffrindiau'n gallu gweld bod rhywbeth wedi digwydd ac, wrth gwrs, cyn pen dim roedd Pwyll wedi datgelu'r cyfan. Dwedodd wrthyn nhw am gadw'r gyfrinach ac fe addawon nhw'n bendant, felly roedd e'n siŵr y byddai popeth yn iawn.

Hedfanodd y flwyddyn heibio. Bron cyn i Pwyll gael ei wynt ato, roedd hi'n bryd iddo farchogaeth i gartref Rhiannon. Aeth â'i gant o farchogion gydag e, achos mae'n rhaid gwahodd ffrindiau i briodas. Marchogodd y criw i gyd at ddrysau cartref Rhiannon. "Y Tywysog Pwyll ydw i," cyhoeddodd Pwyll, "ac mae Rhiannon a fi wedi dyweddïo."

Trodd wyneb tad Rhiannon yn borffor mewn tymer, ond feiddiai e ddim dweud gair o flaen y marchogion. Gwahoddodd nhw i'r tŷ a threfnu gwledd i'w croesawu. Eisteddodd Pwyll yn ymyl Rhiannon, oedd yn harddach nag erioed, a gwenu o glust i glust.

Yna, pan oedd y wledd bron ar ben, cerddodd dyn i mewn i'r neuadd. Roedd e'n dal â gwallt brown, ac yn gwisgo dillad drud a chadwyn aur am ei wddw.

"Dywysog Pwyll," meddai. "Llongyfarchiadau ar dy ddyweddïad. Rwyt ti'n ddyn lwcus iawn. Tybed a ga i siâr o dy lwc di? Ga i ffafr gen ti?"

Prociodd Rhiannon Pwyll â'i bys. "Paid â gwrando arno," dwedodd.

Ond chwarddodd ffrindiau Pwyll, gweiddi'n llon a herio Pwyll i gytuno, ac felly fe wnaeth. "O'r gore," meddai. "Dwed beth wyt ti eisiau ac fe gei di e gen i."

Crechwenodd y dyn â'r gwallt brown. "Diolch yn fawr. Fi yw'r Arglwydd Gwawl a dwi eisiau priodi Rhiannon."

Distawodd marchogion Pwyll.

"Pwyll," hisiodd Rhiannon. "Beth wyt ti wedi'i wneud?"

Cydiodd yn Pwyll a'i lusgo o'r neuadd wrth i'r wledd ddod i ben mewn anhrefn llwyr. "Dwedais i wrthot ti am gadw'r gyfrinach," meddai.

"Fe wnes i. Wnes i ddim dweud wrth neb ond fy ffrindiau. Rhyw ffrind neu ddau . . . wel, cant, falle."

"Ac fe ddwedon nhw wrth eu ffrindiau nhw, ac felly ymlaen nes i Gwawl glywed. Diolch, Pwyll. Nawr bydd raid i fi ei briodi."

Plygodd Pwyll ei ben, gan deimlo'n dwp iawn. "Mae'n ddrwg gen i. Sut galla i dy gael di'n ôl?"

"Falle bod 'na ffordd," meddai Rhiannon. "Ond y tro hwn rhaid i ti wrando arna i, a pheidio â dweud gair wrth neb, hyd yn oed dy ffrindiau. Aros fan hyn."

Brysiodd i ffwrdd a dod yn ôl ymhen ychydig â sach o frethyn rhyfedd lliw arian yn ei llaw. "Cadwa'r sach hon yn ddiogel," meddai. "Fe ddweda i wrth Gwawl y bydda i'n ei briodi ar y dydd hwn y flwyddyn nesa. Dere'n ôl bryd hynny. Gwisga ddillad carpiog a gofyn i Gwawl a gei di lenwi'r sach â bwyd."

"Sut bydd hynny'n ei rwystro rhag dy briodi di?" gofynnodd Pwyll.

Ochneidiodd Rhiannon. "Dere'n ôl ymhen blwyddyn ac fe gei di'r ateb. Ond os dwedi di air wrth unrhyw un, a Gwawl yn clywed, chawn ni ddim cyfle arall."

Blwyddyn gron gyfan! Roedd Pwyll yn teimlo ei fod bron â byrstio. Bob dydd cerddai'n ddiamynedd o gwmpas ei gastell, a phob tro roedd ei ffrindiau'n gofyn beth oedd o'i le roedd e'n troi'r sgwrs.

Doedd e erioed wedi gwneud dim heb ei ffrindiau wrth ei ochr. Beth os na allai ddod i ben hebddyn nhw? Beth petai e'n methu?

Ond doedd ganddo ddim dewis. Os na wnâi ei orau glas, byddai'n colli Rhiannon am byth. Ar ddiwedd y flwyddyn gwisgodd Pwyll gôt garpiog dros ei ddillad a marchogaeth yn grynedig i dŷ Rhiannon, heb ddweud wrth neb ble roedd e'n mynd.

Roedd y wledd i groesawu Gwawl eisoes wedi dechrau. Clywai Pwyll y gwesteion yn canu a chwerthin. Sleifiodd i mewn i'r neuadd lle'r eisteddai Gwawl wrth y ford fawr rhwng Rhiannon a'i thad. Cododd calon Pwyll pan welodd e Rhiannon. Byddai wedi hoffi rhedeg rhedeg ati, ond â'i ên ar ei frest cripiodd i ganol y neuadd a bowio'n isel.

Arglwydd Gwawl," meddai mewn llais bach main. "Dyn tlawd ydw i a dwi'n llwglyd iawn. Ga i lenwi fy sach â bwyd, os gweli di'n dda?"

Dechreuodd Gwawl ysgwyd ei ben, yna neidiodd ar ei draed yn sydyn, yn union fel petai Rhiannon wedi'i gicio dan y bwrdd. Gobeithio ei bod, meddyliodd Pwyll.

"Arglwydd Gwawl," meddai Rhiannon. "Ro'n i'n meddwl dy fod ti'n enwog am dy haelioni. Siawns y galli di sbario ychydig o fwyd."

Snwffiodd Gwawl. "O'r gore, ond brysia. Dwi ar fin priodi."

Felly doedden nhw ddim wedi priodi eto. Diolch byth! Agorodd Pwyll ei sach arian a dechrau'i llenwi.

Ond dyna beth rhyfedd! I ddechrau, roedd Pwyll wedi rhoi afal yn y sach, a rholyn bara, ac yna llond plât o roliau. Ond dim ots faint oedd yn mynd i mewn i'r sach, roedd digon o le ar ôl. Ychwanegodd dwrci a dysglaid o datws rhost, darn o gig moch, a threiffl cyfan o'r bwrdd pwdinau.

Tyfodd llygaid Pwyll yn fawr ac yn grwn. Gwgodd yr Arglwydd Gwawl. "Dyna ddigon! Rwyt ti'n mynd â'r wledd i gyd!"

"Ond dwedaist ti y gallwn i lenwi'r sach," meddai Pwyll yn ddiniwed.

Pwysodd Rhiannon dros y bwrdd. "Arglwydd Gwawl," meddai, "mae'r sach yn dod o'r Byd Arall. Fydd hi byth yn llawn nes i ŵr bonheddig sefyll ynddi."

"Yna rho'r sach i fi," gwaeddodd Gwawl. Cipiodd y sach o law Pwyll, ei rhoi ar y llawr a chamu i mewn.

Symudodd Pwyll fel mellten. Tynnodd y sach dros ben Gwawl a chlymu'r gwddw.

"Gad fi'n rhydd!" gwaeddodd Gwawl, a syrthio yn ei hyd. "Dwi'n mogi!"

Prociodd Pwyll y sach â'i droed. "Beth roi di i fi, os gadawa i di'n rhydd?"

"Beth bynnag wyt ti eisiau," atebodd y llais cras.

Taflodd Pwyll ei ddillad carpiog ar lawr. "Yna dwi eisiau cael Rhiannon yn wraig i fi."

"A rhaid i ti addo peidio â dial arnon ni am hyn, na fy nhwyllo i dy briodi di byth eto," ychwanegodd Rhiannon yn gyflym.

Gwingodd y sach yn wyllt. "Dyw hynna ddim yn deg!"

Anelodd Pwyll gic fach arall at y sach. "Yna fe gei di aros fan'na. O leia wnei di ddim llwgu yng nghanol yr holl fwyd."

Stryffagliodd Gwawl a phwnio'r sach wrth geisio dianc, ond roedd y cwlwm am wddw'r sach yn rhy dynn. O'r diwedd, ar ôl gweiddi a phwdu, fe ildiodd.

"O'r gore," meddai. "Dwi'n addo."

Agorodd Pwyll y sach a rholiodd Gwawl allan wedi'i orchuddio o'i gorun i'w sawdl mewn llanast o datws rhost a stwnsh treiffl. Brasgamodd o'r neuadd mewn tymer, a rhedeg adre o olwg pawb.

Priododd Pwyll a Rhiannon yn y fan a'r lle. Drannoeth, marchogodd y ddau'n ôl i Ddyfed. Dwedodd Pwyll y stori wrth ei ffrindiau i gyd, a buon nhw'n chwerthin a gwledda am amser hir iawn.

Y Bachgen a Ofynnai Gwestiynau

Yng Nghymru, mae 'na lawer o storïau am Taliesin. Taliesin oedd y bardd, y storïwr a'r cerddor gorau a fu erioed. Roedd e'n canu o flaen arglwyddi, tywysogion a brenhinoedd. Cwrddodd â'r Brenin Arthur, hyd yn oed, yn ei lys yng Nghamlod. Yn ôl y storïau, roedd Taliesin yn gwybod sut i fwrw swynion, a chyn iddo gael ei eni fe lwyddodd i dwyllo gwrach. Does bosib bod y stori honno'n wir! Sut gall unrhyw un wneud rhywbeth cyn ei eni?

*U*n tro roedd 'na fachgen o'r enw Gwion, ond roedd pawb yn ei alw'n Gwion Bach am ei fod mor fychan. Roedd ei rieni wedi marw a doedd neb arall i edrych ar ei ôl, felly roedd e'n treulio pob dydd yn y dref, yn gwneud pwt o waith i hwn a'r llall ac yn gofyn cwestiynau.

Roedd Gwion yn hoffi cwestiynau. Pam mae'r awyr yn las? Am beth mae defaid yn meddwl wrth bori yn y caeau? Pam mae bara'n codi pan rowch chi e yn y popty, a pham na chaiff neb fynd yn agos at y tŷ mawr ger y llyn?

Roedd yr ateb i'r cwestiwn olaf yn hawdd. "Achos mai tŷ Ceridwen y wrach yw e," meddai'r pobydd, gan hel Gwion o'r siop. "Os ei di'n agos at y tŷ, bydd hi'n dy droi di'n froga. Cer i chwarae, Gwion Bach, a phaid â drysu pennau pobl â'r holl gwestiynau."

Crwydrodd Gwion i ffwrdd. Tybed sut deimlad oedd bod yn froga? Sut gallai e ddysgu pethau pwysig os oedd pobl yn gwrthod ateb ei gwestiynau?

Doedd e ddim wedi bwriadu mynd yn agos at y tŷ ger y llyn. Crwydrodd ei draed allan o'r dref, ac aeth Gwion gyda nhw. Roedd yn ddiwrnod braf yn y gwanwyn, a sglein hyfryd ar y llyn. *Tybed a fydd unrhyw un yn sylwi os a' i am nofiad bach?* meddyliodd Gwion.

Yr eiliad honno, clywodd sŵn traed, a siffrwd sgert hir yn goglais y glaswellt.

Ceridwen oedd yno! Ceridwen – y wrach!

Sleifiodd Gwion y tu ôl i lwyn i guddio. Sbeciodd drwy'r dail, a gweld gwraig. Roedd hi'n dal ac yn brydferth, ond pan ddigwyddodd edrych i gyfeiriad Gwion teimlai e'n sâl yn sydyn, fel petai rhywun wedi gafael yn ei fol a'i wasgu'n galed. Swatiodd o'r golwg, a'i ddwylo'n chwyslyd.

Oedodd Ceridwen o dan goeden a thynnu pluen wen o nyth aderyn yn y brigau. Yna edrychodd o'i chwmpas a chrychu'i thalcen, fel petai'n chwilio am rywbeth arall.

Beth oedd hi'n wneud? Anghofiodd Gwion fod ofn arno. Pwysodd ymlaen i gael gweld yn well.

Yna – clec! Llithrodd ei droed a syrthiodd allan o'r llwyn.

Trodd Ceridwen ar unwaith. "Pwy sy 'na?" Brasgamodd ar draws y glaswellt a chydio yng ngholer Gwion. "Beth wyt ti'n wneud, y sbïwr bach?"

Roedd cymaint o ofn ar Gwion nes ei fod yn cael trafferth i siarad. "Dwi ddim yn sbïwr. Fi yw . . . Fi yw Gwion Bach." Crymodd ei gefn a cheisio edrych mor fach ag y gallai.

Gollyngodd Ceridwen e'n ôl i'r llwyn. "Ydy dy rieni'n gwybod dy fod ti yma?"

Cochodd bochau Gwion. "Does gen i ddim rhieni."

"Dim rhieni?" Gwibiodd rhyw olwg ryfedd dros wyneb Ceridwen. Safodd Gwion yn stond a'i galon yn curo'n wyllt.

"Dwed wrtha i, Gwion," meddai Ceridwen o'r diwedd. "Hoffet ti weithio i fi?"

Bron i galon Gwion neidio'n grwn o'i frest. Fe? Gweithio i wrach?

"Dwi'n gwneud diod swyn arbennig iawn, ti'n gweld," ychwanegodd Ceridwen. "Rhaid i'r cymysgedd yn fy nghrochan, a rhaid i rywun ei droi'n ofalus iawn am flwyddyn gron. Wyt ti'n meddwl y galli di wneud hynny?"

Roedd Gwion wedi troi sawl cymysgedd yn siop y pobydd, ond ddim am flwyddyn gron. "Beth os bydda i eisiau mynd i'r tŷ bach?" gofynnodd.

Chwarddodd Ceridwen. "Mae gen i forwyn all helpu. Bydd hi'n troi'r ddiod pan fyddi di'n cael seibiant – ond mae'n rhaid i ti wneud y rhan fwyaf o'r gwaith dy hun. Fe gei di geiniog y dydd gen i a chymaint o fwyd ag y mynni di."

Roedd ceiniog yn werth llawer mwy yr adeg honno. Dechreuodd Gwion nodio, ond wedyn edrychodd yn ddrwgdybus ar Ceridwen. "Pa fath o ddiod yw hi? Ydy hi'n troi pobl yn frogaod?"

"Wyt ti wastad yn gofyn cymaint o gwestiynau?" meddai Ceridwen. "Na, dwi ddim eisiau troi pobl yn frogaod. Diod wybodaeth yw hon. Bydd y person sy'n ei hyfed ar ddiwedd y flwyddyn yn gwybod yr ateb i bob cwestiwn yn y byd."

Roedd y ddiod yn swnio'n wych – ac roedd Gwion yn falch bod Ceridwen wedi ateb ei gwestiwn yn hytrach na'i hel i ffwrdd. Sythodd ei gefn. "Fe wna i droi'r ddiod," meddai. "Pryd wyt ti eisiau i fi ddechrau?"

Fore trannoeth, curodd Gwion ar ddrws y wrach.

Aeth Ceridwen ag e i'r gegin, lle roedd crochan mawr copr yn hongian dros y tân a hen wraig mewn ffrog lwyd a ffedog wen yn brysur wrth ei gwaith.

"Dyma Gwion," meddai Ceridwen wrth y wraig. "Fe sy'n mynd i droi'r ddiod." Aeth i nôl cadair i Gwion ac estyn llwy bren hir iddo. "Nawr, cofia, rhaid i ti droi'r ddiod yn araf a gofalus, heb stopio o gwbl."

Edrychodd Gwion i mewn i'r crochan. Roedd pob math o liwiau'n chwyrlïo drwy'r ddiod. Gwasgarodd Ceridwen ychydig o ddail aur drosti. "Dyna'r cynhwysyn olaf," meddai. "Nawr – dechreua droi!"

Am rai dyddiau, roedd breichiau Gwion yn boenus iawn, ac roedd pinnau bach yn ei ben-ôl ar ôl eistedd am hir, ond buan iawn y daeth yn gyfarwydd â'r gwaith. Weithiau roedd y forwyn yn cael sgwrs gydag e, ac weithiau dôi Ceridwen i mewn i'r gegin a'i wylio â'i breichiau wedi'u plethu, ond heblaw am hynny roedd Gwion ar ei ben ei hun. Treuliodd yr amser yn meddwl am gwestiynau. Pam oedd yr haf yn dilyn y gwanwyn? I ble oedd adar yn mynd yn yr hydref? Pam oedd eira ond yn disgyn yn y gaeaf?

Unwaith neu ddwy triodd ofyn rhai o'r cwestiynau i Ceridwen, ond dwedodd hi wrtho am feindio'i fusnes a dal i droi. *Dyw hi ddim yn gwybod yr atebion eto, mwy na thebyg,* meddyliodd Gwion. Ar ôl yfed y ddiod, byddai hi'n gwybod popeth. Roedd e eisiau gofyn a gâi e ddiferyn, ond roedd golwg mor oer yn ei llygaid, fentrai e ddim. *Wnaiff Ceridwen ddim rhannu ei swynion â neb,* meddyliodd.

Un diwrnod, agorodd y forwyn ddrws y gegin i gael tipyn o awyr iach, a gwelodd Gwion glwstwr o gennin Pedr melyn yn codi o'r pridd. Sut oedd cennin Pedr yn gwybod pryd i dyfu? Oedd gan flodau glociau yn cuddio rhwng eu dail?

Ond, yn sydyn, sylweddolodd rywbeth pwysig. Os oedd cennin Pedr yn tyfu, roedd y gwanwyn wedi dod. Roedd e wedi bod yn nhŷ Ceridwen am flwyddyn gron. Trodd Gwion y ddiod yn gyflymach. Cyn hir, byddai wedi gorffen. Cyn hir, byddai Ceridwen yn ei dalu, a gallai fynd yn ôl i'r dref i chwarae yn yr haul a gofyn pob cwestiwn a fynnai.

Sylwodd e ddim fod y ddiod yn tasgu dros y lle – nes i dri diferyn poeth neidio o'r crochan a glanio ar ei law.

Aw! Pam oedd tân yn gwneud pethau'n boeth? Stopiodd Gwion droi a sugnodd ei law.

Teimlodd binnau bach yn ei geg. Roedd y diferion yn blasu'n felys, yn sbeislyd, yn hallt ac yn sur ar yr un pryd, fel petaen nhw'n llawn dop o bob blas yn y byd.

Ac, wrth gwrs, roedd tân yn gwneud pethau'n boeth am fod tân yn llawn ynni. Roedd Gwion yn deall yn union sut oedd hynny'n digwydd. Roedd e'n gwybod hefyd pam oedd yr awyr yn las, a sut oedd cennin Pedr yn gwybod bod y gwanwyn wedi dod. Bob tro roedd e'n meddwl am gwestiwn, roedd yr ateb yn barod yn ei ben.

Edrychodd Gwion i mewn i'r crochan. Doedd y ddiod ddim yn byrlymu nawr. Roedd y cymysgedd yn frown a mwdlyd.

Yna clywodd Gwion sŵn traed Ceridwen yn dod tuag ato. Gollyngodd y llwy a rhedeg allan drwy'r drws agored.

Eiliad yn ddiweddarach, ffrwydrodd sgrech ffyrnig drwy'r awyr.

"Gwiiiiiiooooooooon Baaaaaaaaach!!!!!"

Rhuthrodd Ceridwen o'r tŷ fel tarw. Rhedodd Gwion ar draws y glaswellt, ond doedd e ddim yn dda iawn am redeg. Roedd ei goesau'n rhy fyr ac yn gwrthod symud yn ddigon cyflym. Cyn hir roedd yn fyr o anadl, ei ysgyfaint yn llosgi, a Ceridwen bron wrth ei sodlau.

Trueni na fyddai ganddo bedair coes, fel sgwarnog . . .

Ar unwaith, teimlodd ei hun yn mynd yn llai. Diflannodd ei ddillad, trodd ei groen yn flew a thyfodd ei glustiau'n hir. Yn ei fraw, bron iawn iddo faglu dros ei bedair coes, ond daliodd ati i redeg. Gwibiodd y glaswellt fel niwl dan ei draed wrth iddo redeg at y llyn, a'i goesau ôl cryf yn ei yrru ymlaen.

Ond yna clywodd gi yn cyfarth. Edrychodd yn ôl. Roedd Ceridwen wedi troi'n filgi – ac yn dod yn nes ac yn nes. I ffwrdd â nhw dros y glaswellt, ac er bod y sgwarnog yn gyflym roedd y milgi'n gyflymach. Cyn hir teimlodd Gwion anadl boeth ar ei goesau ôl.

Allai e ddim dianc rhag y wrach ar dir, ond ble arall allai e fynd?

Roedd y llyn yn disgleirio o'i flaen. Trueni na fyddai ganddo gennau fel pysgodyn . . .

Rhuthrodd y syniad drwy'i ben, a throdd Gwion yn eog lliw arian. Crynai ei gennau wrth blymio i'r dŵr tywyll.

Yna clywodd sŵn trydar ffyrnig. Edrychodd Gwion yn ôl a gweld bod y milgi wedi troi'n ddwrgi. Plymiodd y dwrgi i'r llyn ar ei ôl. I ffwrdd â nhw drwy'r dŵr, ac er bod y pysgodyn yn gyflym roedd y dwrgi'n gyflymach. Cyn hir teimlodd Gwion bawennau blewog yn gafael yn ei gynffon.

Allai e ddim dianc rhag y wrach yn y dŵr, ond ble arall allai e fynd?

Edrychodd i fyny i'r awyr. Trueni na fyddai ganddo adenydd fel . . .

Cyn i'r syniad orffen gwibio drwy'i ben, trodd Gwion yn frân a hedfan i'r awyr â chrawc falch.

Ysgydwodd y dwrgi ei bawennau blewog mewn tymer, cyn i'w flew droi'n blu. Ymhen chwinciad roedd wedi troi'n hebog. Cododd i'r awyr ar ras, ei adenydd ar led a'i grafangau'n plycio.

I ffwrdd â nhw dros y caeau, ac er bod y frân yn gyflym roedd yr hebog yn gyflymach. Cyn hir teimlodd Gwion grafangau'n gafael yn ei gefn.

Allai e ddim dianc rhag y wrach yn yr awyr, ond ble arall allai e fynd?

Doedd 'na unman arall.

Roedd Ceridwen yn gyflymach nag e ar dir, yn y dŵr ac yn yr awyr.

Ond os na allai redeg, falle y gallai ymguddio.

Disgynnodd cysgod yr hebog drosto. Caeodd y crafangau, ac ar unwaith trodd Gwion yn hedyn bach o ŷd. Disgynnodd o grafangau'r hebog a syrthio i lawr ac i lawr, yr holl ffordd i'r ddaear dywodlyd islaw. Gorweddodd yno, yn fyr ei wynt a bron yn anweledig.

Bron, ond nid yn hollol anweledig chwaith. Roedd llygaid craff gan yr hebog, ac fe welodd yr hedyn yn glanio. Plygodd ei adenydd a disgyn fel carreg. Yna, wrth i'w grafangau gyffwrdd â'r llawr, trodd yn iâr ddu gyffredin.

Doedd yr iâr ddim yn edrych yn beryglus iawn. Gorweddodd yr hedyn yn llonydd, a gwneud ei orau glas i beidio â giglan. Yna dechreuodd yr iâr grafu a phigo'r llawr, a chyn i Gwion allu newid ei siâp eto roedd hi wedi pigo'r hedyn a'i lyncu'n grwn.

Ha!" meddai Ceridwen, gan newid yn ôl i'w siâp cywir. "Dyna wers i ti, y lleidr bach!"

Ond, ac yntau ym mol y wrach, dechreuodd Gwion Bach newid.

Aeth wythnos heibio, yna mis, a dechreudd bol Ceridwen deimlo'n od iawn. Tyfodd yn fawr ac yn grwn, fel petai hi'n mynd i gael babi.

"Gwion Bach," meddai. "Gwell i ti ddod allan o fan'na ar unwaith, neu . . ."

Ond arhosodd Gwion yn ei unfan. Cyrliodd yn bêl a chysgu am naw mis cyfan. Ar ddiwedd y naw mis, teimlai Ceridwen yn od iawn, iawn. Aeth i'r gwely a chyn hir roedd hi wedi geni babi.

Ac o, roedd e'n ddel! Roedd ei wyneb yn llawn a chrwn, ei lygaid mor las â'r awyr, ac roedd cwrlyn bach ar ei dalcen 'run lliw â'r ŷd melyn.

Toddodd calon Ceridwen. Allai hi ddim gwneud drwg i'r babi – ond allai hi mo'i gadw chwaith, achos roedd e wedi dwyn ei diod swyn oddi arni. Felly, wrth i'r haul godi dros y llyn, aeth i nôl basged fach a rhoi'r babi ynddi. Gosododd y fasged ar wyneb y dŵr a'i gwthio i ffwrdd i chwilio am gartref newydd.

Hwyliodd y fasged am oriau lawer ar draws y llyn ac i lawr yr afon y tu draw, ac ar fachlud haul glaniodd wrth draed tywysog ifanc. Aeth y tywysog â'r babi adre'n llawn cyffro, ac o'r diwrnod hwnnw ymlaen magodd y bachgen fel ei blentyn ei hun. Galwodd e'n Taliesin, sy'n golygu "talcen disglair". Mae tywysogion yn hoffi enwau rhyfedd.

Hyd yn oed pan oedd e'n fachgen bach, roedd pen Taliesin yn llawn gwybodaeth. Roedd yn deall iaith yr anifeiliaid a'r adar, roedd yn canu, yn cyfansoddi barddoniaeth, ac yn chwarae pob offeryn cerdd dan haul. Pan oedd Taliesin yn siarad, byddai brenhinoedd yn sefyll i wrando arno.

Daeth Taliesin y Bardd yn enwog ar hyd a lled Cymru. Ond wnaeth e byth anghofio pwy oedd e cyn dod yn Taliesin. Roedd yn hedyn ŷd, a chyn hynny yn frân, a chyn bod yn frân roedd yn bysgodyn, a chyn bod yn bysgodyn roedd yn sgwarnog. A chyn hynny i gyd, roedd e'n fachgen o'r enw Gwion Bach oedd yn hoffi gofyn cwestiynau.

Y Ferch o Lyn y Fan Fach

*Bannau Brycheiniog yw lleoliad y stori hon. Bryn yw 'ban'
ac mae'r llyn yn y stori wrth droed ban fach.*

*U*n tro roedd 'na fachgen o'r enw Tomos yn byw ar fferm ger llyn o'r enw Llyn y Fan Fach. Ei waith oedd gofalu am y defaid, ac roedd e wrth ei fodd achos roedd yn waith hawdd. Bob dydd roedd yn llenwi'i bocedi â brechdanau ac yn gyrru'r defaid i un o'r caeau ger y llyn. Yno byddai'n eistedd a breudd-wydio nes ei bod yn bryd mynd adre.

Un diwrnod, roedd yn eistedd yno fel arfer pan welodd rywbeth rhyfedd. Roedd merch yn eistedd ar y llyn. Nid yn y llyn, nac wrth ymyl y llyn, ond ar wyneb y dŵr glas; roedd ei choesau wedi'u plygu oddi tani, fel petai'n eistedd ar laswellt.

Rhaid bod fy llygaid yn chwarae triciau arna i, meddyliodd Tomos. Neidiodd ar ei draed a rhedeg at ymyl y llyn gan ddisgwyl i'r ferch ddiflannu, ond wnaeth hi ddim. Camodd Tomos i'r llyn gan suddo i mewn i'r mwd meddal dan ei draed.

"Esgusoda fi," galwodd.

Cododd y ferch ar ei thraed, ond wnaeth hi ddim suddo. "Ie? Beth wyt ti eisiau?"

Rwyt ti'n sefyll ar ddŵr, meddyliodd Tomos. Ddylai e ddweud wrthi? Ond na. Roedd hi'n gwybod hynny'n barod, achos fyddai neb byth yn sefyll ar ddŵr ar ddamwain.

Doedd ganddo ddim syniad beth i'w ddweud. A'i wyneb yn goch, gwthiodd ei law i'w boced a chydio yn yr unig frechdan oedd ganddo ar ôl. "Hoffet ti frechdan gaws?" gofynnodd.

Hoffet ti frechdan gaws? Allai e ddim credu ei fod wedi dweud y fath beth twp.

Chwarddodd y ferch a rhedeg ato dros y llyn. Estynnodd Tomos y frechdan a bwytodd hithau gornel fach ohoni. Crychodd ei thrwyn. "Mae dy fara di'n sych," meddai. "Dere'n ôl fory."

Gyda hynny, rhedodd yn ôl i ganol y llyn a diflannu.

Safodd Tomos yn stond a syllu ar ei hôl. Wrth gwrs na fyddai hi eisiau hen frechdan ddrewllyd oedd wedi bod yn ei boced drwy'r dydd! Rhag ei gywilydd yn cynnig y fath beth! Ond roedd hi wedi gofyn iddo ddod yn ôl fory. Roedd hi eisiau ei weld eto. Aeth Tomos adre, a'i feddwl yn troi.

Cododd yn gynnar fore trannoeth, cipio torth o'r ffwrn, a gwneud brechdanau gyda'r bara poeth. Lapiodd nhw'n ofalus, casglu'r defaid a mynd i lawr at y llyn.

Eisteddodd yno bron drwy'r dydd, yn gwylio'r dŵr glas. Yna, pan oedd e'n dechrau meddwl ei fod wedi syrthio i gysgu'r diwrnod cynt ac wedi breuddwydio am y ferch, fe welodd hi eto, yn eistedd ar y llyn yn yr un man ag o'r blaen.

Cododd Tomos ei law a rhedeg at ymyl y dŵr. Rhedodd y ferch i gwrdd ag e, a safodd y ddau'n stond, Tomos â'i draed ar dir sych a'r ferch â'i thraed ar y dŵr.

"Dwi wedi dod â brechdan arall i ti," meddai Tomos, ac estyn y pecyn bach twt iddi.

Agorodd y ferch y pecyn a chrychodd ei thrwyn. Roedd y bara'n soeglyd a heb ei bobi'n iawn. "Mae dy fara di'n rhy feddal o lawer," meddai dan chwerthin. "Dere'n ôl fory."

Gyda hynny, diflannodd yn ôl i mewn i'r llyn.

Pan aeth Tomos adre, gofynnodd i'w fam a gâi e bobi'r bara drannoeth. Cododd yn gynt nag arfer i roi'r toes yn y ffwrn, ac arhosodd nes oedd y bara wedi'i bobi'n berffaith ac wedi oeri'n llwyr. Yna i ffwrdd ag e at y llyn.

Roedd y ferch yn aros amdano. Safai ar y dŵr glas ger y lan, yn tapio'i throed yn ddiamynedd.

"Dyma ti," meddai Tomos. "Brecwast. A Tomos ydw i, gyda llaw."

Cymerodd y ferch y dorth, ei thorri yn ei hanner a'i blasu. "Mae'n berffaith," meddai. "Fe gei di fy ngalw i'n Nel."

O'r dydd hwnnw ymlaen, byddai'r ferch yn aml yn dod allan o'r llyn i siarad gyda Tomos tra oedd e'n gwylio'r defaid. Soniodd e ddim amdani wrth neb – fydden nhw byth yn ei gredu. Yna, wrth i'r blynyddoedd fynd heibio, roedd ffrindiau Tomos i gyd yn priodi, a meddyliodd Tomos y dylai e briodi hefyd.

"Wnei di fy mhriodi i?" gofynnodd i Nel.

Gwenodd Nel. "Mi faswn i wrth fy modd," dwedodd. "Ond rhaid i ti ofyn i 'nhad yn gyntaf."

Ei thad? Doedd hi erioed wedi sôn am ei theulu o'r blaen.

Cododd swigod o ganol y llyn. Ymhen eiliad, cododd dyn llym ei olwg o'r dŵr. Safai dwy ferch, un bob ochr iddo. Roedd y ddwy yr un ffunud â Nel.

Camodd Tomos yn ôl, a syllu'n syn arnyn nhw.

"Felly, rwyt ti eisiau priodi fy merch," meddai'r dyn llym. "Alli di brofi dy fod yn ei charu hi'n fwy na neb arall?"

Pwysodd Nel tuag at Tomos. "Gwylia'n traed ni," sibrydodd.

Clapiodd y tad ei ddwylo a diflannodd e a Nel a'r ddwy ferch. Pan ddaethon nhw i'r golwg eto, roedd y tair merch yn sefyll mewn rhes.

"Os wyt ti'n caru Nel yn fwy na neb arall, fe fyddi'n di'n gallu gweld y gwahaniaeth rhyngddi hi a'i chwiorydd," meddai'r dyn llym.

Doedd hyn ddim yn ddeg. Roedd y merched yn union 'run fath. Roedd eu ffrogiau 'run fath, hyd yn oed.

Ond beth oedd Nel wedi'i sibrwd wrtho? *Gwylia'n traed ni.*

Edrychodd Tomos yn fanwl. Sylwodd fod dwy o'r merched yn sefyll yn syth, â'u traed yn dynn wrth ei gilydd. Ond roedd y drydedd ferch yn estyn ei throed dde, fel petai am gerdded i'r lan.

Camodd Tomos i'r llyn a chydio yn ei dwylo. "Hon," meddai. "Hon yw Nel."

Gwgodd tad Nel. "Mae priodi meidrolyn wastad yn creu trafferth. Ond os ydych chi'ch dau am briodi fe rof i fy nghaniatâd, ac fel anrheg briodas fe gewch chi gymaint o wartheg, ceffylau, geifr a defaid ag y gall Nel eu rhifo ar un anadl. Ond," ychwanegodd wrth Tomos, "paid byth â tharo Nel â darn o haearn. Os gwnei di, fe ddaw hi'n ôl i'r llyn, a weli di byth mohoni eto."

Doedd dim peryg o hynny. "Faswn i byth yn gwneud y fath beth i Nel," addawodd Tomos. "Dwi'n ei charu hi."

Tynnodd Nel anadl hir a dechrau rhifo. Un, dau, tri, pedwar, pump. Un-dau-tri-pedwar-pump. Undautripedwarpump. Yn gynt ac yn gynt. Tra oedd hi'n rhifo, daeth rhes o wartheg, defaid, geifr a cheffylau claerwyn o'r llyn, a sefyll ar y lan.

O'r diwedd, roedd Nel wedi colli'i hanadl yn llwyr. Cusanodd ei thad hi ac ysgwyd llaw Tomos. "Cofia dy addewid," meddai wrtho, cyn iddo fe a chwiorydd Nel suddo'n ôl i'r llyn a diflannu.

Aeth Tomos â Nel adre ac fe briodon nhw. Buon nhw'n byw'n hapus gyda'i gilydd am flynyddoedd, a chafodd Nel dri bachgen bach.

Yna un diwrnod, pan oedd y mab hynaf tua deg oed, penderfynodd y teulu fynd am dro o gwmpas y llyn ar gefn eu ceffylau.

Roedd yn fore braf, heulog ac roedd y bechgyn ar bigau'r drain yn awyddus i gychwyn. Ond roedd Nel eisiau paratoi brechdanau i bawb, a doedd hi ddim hyd yn oed wedi rhoi'r ffrwyn ar ei cheffyl.

O'r diwedd daeth allan o'r tŷ, yn cario'r fasged bicnic. Taflodd Tomos ffrwyn y ceffyl ati. "Brysia," meddai. "Mae pawb yn disgwyl amdanat ti."

Digwyddodd y ffrwyn daro Nel ar ei braich.

Safodd hithau'n stond, ei hwyneb yn welw.

Y ffrwyn, meddyliodd Tomos. Roedd yr enfa ar y ffrwyn wedi'i gwneud o haearn!

Rhedodd at Nel. "Na! Do'n i ddim wedi bwriadu dy daro di. Damwain oedd hi!"

Ond ysgydwodd Nel ei phen, ei llygaid yn llenwi â dagrau. Trodd ei chefn ar Tomos a'i chartref a dechrau cerdded tuag at y llyn.

Ar y ffordd, dechreuodd rifo. Un, dau, tri, pedwar, pump. Un, dau, tri, pedwar, pump. Rhifodd yn araf iawn, fel petai am i'r foment honno bara am byth.

Wrth iddi rifo, cerddodd y gwartheg a'r defaid, y geifr a'r ceffylau allan o'r caeau a dilyn Nel at y llyn.

Rhedodd Tomos ar ei hôl. Rhedodd eu meibion hefyd, heb ddeall beth oedd yn digwydd.

Cyrhaeddodd Nel y llyn a throi i edrych ar ei theulu am y tro ola. Yna, yn drist a phenisel, cerddodd i'r llyn a'r anifeiliaid yn ei dilyn. Diflannodd pob un o dan y dŵr.

"Ble mae Mam wedi mynd?" holodd y bachgen hynaf, ond allai Tomos wneud dim ond ysgwyd ei ben, a'r dagrau'n rhedeg i lawr ei fochau.

Drwy gydol yr haf bu Tomos yn cerdded rownd a rownd y llyn, gan obeithio gweld Nel, ond welodd e mohoni. Yna un diwrnod yn yr hydref, rhedodd ei blant i'r tŷ yn llawn cyffro.

"Rydyn ni wedi gweld Mam," medden nhw. "Mae hi'n dweud na all hi ddim dod adre, na dy weld di byth eto, ond fe ddaw i'n gweld ni wrth ymyl y llyn."

Sychodd Tomos y dagrau o'i lygaid. "Gwell i fi bobi bara i chi ei roi iddi, felly," meddai.

Telyn y Tylwyth Teg

Dyma stori arall am y Tylwyth Teg – ac am eisteddfod ysgol hefyd. Yn y stori wreiddiol mae Morgan yn hen ŵr, ond yn fy stori i bachgen ysgol yw e.

*U*n tro roedd 'na fachgen o'r enw Morgan. Roedd e'n dda am wneud pob math o bethau, ac yn gwybod hynny hefyd. Yn wir, doedd bod yn dda ddim yn ddigon i Morgan – roedd e eisiau bod y gorau ym mhopeth. Yn yr ysgol, roedd Morgan yn mynnu bod ar frig y dosbarth bob tro. Yn y mabolgampau, byddai'n pwdu os oedd e'n ail mewn ras. Roedd yn ennill gemau drwy dwyll, a'i ffrindiau'n gwrthod chwarae gydag e.

"Maen nhw'n genfigennus achos mod i wastad yn ennill," meddai Morgan, er doedd hynny ddim yn wir o gwbl.

Ond roedd Morgan yn bendant yn anobeithiol mewn un pwnc, sef cerdd. Pan oedd e'n canu, swniai fel ceffyl yn gweryru. A doedd ganddo ddim clem sut i chwarae offeryn. Roedd wedi rhoi cynnig ar bob un, gan obeithio y byddai rhywbeth yn ei siwtio, ond i ddim iws. Roedd e'n colli'i wynt wrth ganu'r ffliwt, roedd ei freichiau'n brifo wrth chwarae'r ffidil, a'i fysedd yn troi'n sosejys lletchwith wrth chwarae'r piano. Roedd wedi rhoi cynnig ar y drymiau unwaith, ond roedd y cymdogion i gyd wedi rhuthro allan i'r stryd, yn meddwl bod eu tai ar fin cwympo i lawr.

"Does neb yn dda am wneud popeth," meddai mam Morgan. Roedd hynny'n wir, a falle, petai Morgan yn byw yn rhywle arall, fyddai dim ots ganddo. Ond roedd e'n byw yng Nghymru ac, fel y gwyddon ni, Cymru yw Gwlad y Gân. Mae'n enwog am ei miwsig, ac mae Cymro sy'n methu canu fel morfil sy'n methu nofio.

Roedd ffrindiau Morgan yn meddwl bod hyn yn ddoniol iawn. "Dyma Morgan Methu-canu," medden nhw'n llon. "Hei, Morgan, cana gân i ni!" Er bod hynny braidd yn gas, roedd Morgan byth a hefyd yn brolio mai fe oedd y gorau am wneud popeth arall, felly roedden nhw'n falch ei fod yn methu weithiau.

Bob tro roedden nhw'n chwerthin, roedd Morgan yn esgus gwenu i ddangos mai fe oedd y gorau am gymryd jôc. Ond wedyn roedd yn mynd adre ac yn cicio drws ei stafell wely mewn tymer. Doedd hyn ddim yn deg! Roedd e'n gallu gwneud popeth arall, felly pam na allai greu miwsig?

Un diwrnod, cyhoeddodd prifathro ysgol y pentref ei fod am gynnal eisteddfod ar ddiwedd tymor yr haf. Byddai gwobrau i'w hennill am lefaru, chwarae offerynnau a chanu, a byddai cystadleuydd gorau'r eisteddfod yn ennill coron aur. Neu, o leia', coron gardfwrdd, liw aur, â gemau plastig wedi'u gludo arni.

Cyn gynted ag y soniodd y prifathro am y goron, roedd Morgan eisiau'i hennill. Dim ots mai coron gardfwrdd oedd hi. Dychmygodd ei hun yn sefyll ar lwyfan yr ysgol, y goron ar ei ben, a phawb yn curo dwylo am mai fe oedd y gorau.

Roedd e'n dal i ddychmygu wrth fynd adre o'r ysgol y prynhawn hwnnw yng nghanol criw o ffrindiau.

"Dwi'n mynd i gystadlu ar y canu," meddai un ffrind.

"Dwi'n mynd i chwarae'r piano," meddai un arall. "Beth amdanat ti, Morgan?"

Roedd gan Morgan biano yn y tŷ. Roedd ei rieni wedi'i brynu'n anrheg Nadolig ddwy flynedd yn ôl. Roedd Morgan wedi'i chwarae am fis, cyn colli diddordeb.

"Mae'n gyfrinach," meddai Morgan. "Ond fe ddweda i un peth. Dwi'n mynd i ennill."

Chwarddodd pawb. Cochodd Morgan mewn tymer. "Chwarddwch chi," meddai. "Fe ddangosa i i chi. Dwi'n mynd i ennill y wobr am gerddoriaeth. Dwi'n well na chi i gyd."

"Ond Morgan, alli di ddim ennill popeth," meddai ei dad, pan glywodd yr hanes. "Pam na wnei di sgrifennu barddoniaeth, a gadael i dy ffrindiau gystadlu ar y miwsig?"

Ond allai Morgan ddim gwneud hynny. Roedd wedi dweud wrth ei ffrindiau ei fod yn mynd i ennill.

Yn syth ar ôl te aeth i'r stafell ffrynt, chwythu'r llwch oddi ar glawr y piano a cheisio cofio nodau 'Ar Hyd y Nos'. Ond roedd ei fysedd byth a hefyd yn llithro oddi ar y nodau cywir, yn glanio ar y nodau anghywir, ac yn glanio mor drwm nes bod y nodau hynny'n swnio ddwywaith yn uwch na phob nodyn arall. Ar ôl i Morgan chwarae am awr, dechreuodd y cymydog guro ar y wal, a bu raid i Morgan roi'r gorau iddi.

Roedd yr wythnosau nesaf yn artaith gerddorol. Roedd ffrindiau Morgan yn ymarfer canu ar y ffordd i'r ysgol. Doedden nhw ddim eisiau chwarae rygbi fin nos, achos roedden nhw'n rhy brysur yn ymarfer ar eu hofferynnau. A phob tro roedden nhw'n sôn am y gystadleuaeth, roedd Morgan yn siŵr eu bod yn sbecian arno ac yn chwerthin y tu ôl i'w gefn. *Ddylwn i ddim fod wedi brolio mai fi oedd y gorau*, meddyliodd, *ac yn bendant ddylwn i erioed fod wedi sôn am ennill y wobr gerddoriaeth*. Ond roedd hi'n rhy hwyr i dynnu'n ôl. Doedd dim dewis ond dal i ymarfer.

Gyda dim ond wythnos i fynd tan yr eisteddfod, roedd Morgan yn eistedd wrth y piano yn taro nodau 'Ar Hyd y Nos' dro ar ôl tro. Neu o leia' roedd e'n taro nodau, ac roedd ambell un yn perthyn i 'Ar Hyd y Nos'.

Gwthiodd Dad ei ben heibio'r drws. "Mae Mam a fi'n mynd am dro," meddai, â golwg braidd yn boenus ar ei wyneb. "Fyddwn ni ddim yn hir."

Roedd Mam a Dad yn mynd am dro'n aml iawn y dyddiau hyn.

Ychydig yn ddiweddarach, curodd y cymydog ar y drws. "Alli di stopio chwarae 'Pen-blwydd Hapus'? Does neb yn cael ei ben-blwydd."

"Dwi ddim yn chwarae 'Pen-blwydd Hapus'," meddai Morgan yn swta, a chau'r drws. Doedd Mam a Dad ddim yn fodlon gwrando arno, a doedd y cymydog ddim hyd yn oed yn nabod y gân. Sut yn y byd oedd e'n mynd i ennill coron yr eisteddfod? Aeth yn ôl at y piano a dechrau o'r dechrau eto, gan fwrw pob nodyn yn galed dro ar ôl tro.

Roedd wedi cyrraedd yr ail bennill, pan ddaeth curo ffyrnig ar y drws.

Y tro hwn, nid y cymydog oedd yno. Safai dyn rhyfedd yr olwg ar garreg y drws. Doedd e ddim llawer talach na Morgan ei hun, a gwisgai siwt werdd, het frown am ei ben a chlogyn brown dros ei ysgwyddau.

"Helô," meddai'r dyn. "Dwi wedi dod o'r Byd Arall. Ai ti sy'n chwarae 'Pen-blwydd Hapus' drwy'r amser?"

Doedd Morgan ddim yn hapus. "Nid 'Pen-blwydd Hapus' yw e" meddai. "'Ar Hyd y Nos' yw'r tiwn, a dwi'n brysur yn ymarfer. Mae eisteddfod yr ysgol yr wythnos nesa, a dwi am ennill y wobr gerddoriaeth."

"Rwyt ti'n mynd i ddal ati i chwarae am wythnos gyfan?" meddai'r dyn mewn braw. "Mae merch fach brenhines y Tylwyth Teg yn trio cysgu, a tithau'n ei deffro o hyd."

Doedd Morgan ddim yn credu yn y Tylwyth Teg. *Fy ffrindiau sy'n chwarae tric arna i*, meddyliodd. Wel, fe wnâi e esgus credu. Fe oedd y gorau am chwarae triciau. "Mae'n ddrwg gen i," meddai, "ond does dim y galla i wneud. Dwi wedi dweud y bydda i'n ennill y wobr gerddoriaeth yn yr eisteddfod, a dwi'n benderfynol o wneud hynny."

Tynnodd y dyn rhyfedd ei het a chrafu'i ben. "Beth am i mi dy helpu di i ennill y wobr? Wnei di stopio ymarfer wedyn?"

Edrychodd Morgan yn amheus ar y dyn. Erbyn meddwl, roedd e'n ddyn od iawn. A doedd Morgan erioed wedi'i weld o'r blaen, er ei fod yn nabod pawb yn y pentref.

"O'r gore," meddai Morgan. "Os galli di wneud yn siŵr mai fi yw'r cerddor gorau yn yr ysgol, ac yn ennill y goron, dwi'n addo peidio â chyffwrdd â'r piano byth eto."

"Cytuno!" meddai'r dyn rhyfedd. Chwibanodd, curo'i ddwylo deirgwaith a phlycio telyn o'r awyr. Blinciodd Morgan. Sut yn y byd oedd y dyn wedi chwarae'r fath dric? Roedd y delyn yn ddigon bach i'w rhoi dan ei gesail, ac wedi'i gwneud o bren brown cyffredin, heb ddim addurniadau. Doedd hi ddim yn edrych yn arbennig iawn.

"Ydw i fod ennill y wobr ar *honna*?" gofynnodd Morgan yn ddrwgdybus.

Hoeliodd y dyn ei lygaid arno, a thynnu'i fysedd dros dannau'r delyn. Ar unwaith, suodd miwsig mor hyfryd drwy'r awyr nes tynnu dagrau o lygaid Morgan. Roedd y miwsig yn gwneud iddo feddwl am goedwigoedd gwyrdd, dŵr gwyllt, ac adar yn hofran yn uchel uwchben y mynyddoedd. Yr eiliad nesaf, roedd y dyn yn chwarae dawns fywiog, a thraed Morgan yn symud ar eu pennau eu hunain.

"Telyn y Tylwyth Teg yw hon," meddai'r dyn. "Does neb yn gallu ei chwarae'n wael – ac mae hynny'n dy gynnwys di, hyd yn oed."

"Diolch yn fawr," meddai Morgan yn goeglyd.

Chymerodd y dyn 'run sylw. "Caredigrwydd yw'r swyn sy'n creu'r miwsig hwn. Os caiff ei chwarae â chalon garedig, bydd y miwsig yn gwneud i bawb deimlo'n hapus. Ond os wyt ti'n greulon, bydd y delyn yn torri." Estynnodd y delyn i Morgan.

Cymerodd Morgan hi'n eiddgar a thynnu'i fysedd dros y tannau. Llifodd tôn 'Ar Hyd y Nos' o'r delyn, a phob nodyn yn berffaith.

"Mae hynna'n *rhyfeddol*," sibrydodd Morgan.

Ond pan edrychodd i fyny, roedd y dyn rhyfedd wedi diflannu. Chwythai awel oer i lawr y stryd a gwneud i Morgan grynu. Nid tric gan ei ffrindiau oedd hwn, sylweddolodd.

Aeth Morgan â'r delyn i'r tŷ a'i chuddio yn y cwpwrdd dillad. Drannoeth, gwrandawodd ar ei ffrindiau'n canu ar y ffordd i'r ysgol, a gwenodd yn dawel. Pan oedden nhw eisiau ymarfer amser cinio yn lle mynd allan i chwarae, cododd Morgan ei ysgwyddau. Pan chwarddon nhw am ei ben, doedd e'n poeni dim.

Y noson honno, dwedodd wrth ei rieni ei fod wedi rhoi'r gorau i'r piano. "Dyna gyd-ddigwyddiad!" meddai ei rieni. "Rydyn ni'n dau wedi rhoi'r gorau i fynd am dro hefyd." A stopiodd y cymydog guro ar y wal, felly roedd pawb yn hapus.

O'r diwedd, gwawriodd diwrnod yr eisteddfod. Cyn mynd i'r ysgol, cuddiodd Morgan y delyn yn ei fag.

Ar ddiwedd y dydd, daeth pawb at ei gilydd yn y neuadd ar gyfer y wobr gerddoriaeth. Eisteddodd Morgan i lawr, a gwingo'n ddiamynedd wrth i blant ei ddosbarth gamu ymlaen, fesul un, i ganu neu chwarae offeryn. Curodd Morgan ei ddwylo'n uchel bob tro, ond yn dawel bach roedd e'n edrych ymlaen at weld eu hwynebau pan glywen nhw'r delyn.

O'r diwedd, cododd y prifathro ar ei draed. "Wel," meddai, "dwi'n credu bod pawb wedi cystadlu, felly . . ."

"Arhoswch!" gwaeddodd Morgan, a chodi'i law. "Dwi ddim wedi chwarae eto."

Ffrwydrodd chwerthin drwy'r neuadd. Bloeddiodd y prifathro ar i bawb fod yn dawel. "Wyt ti'n siŵr dy fod ti eisiau cystadlu?" gofynnodd i Morgan. "Does dim rhaid i ti."

"Ond dwi eisiau," meddai Morgan, a rhedeg i nôl ei delyn.

Roedd rhai pobl yn dal i chwerthin pan ddaeth e'n ôl. Cerddodd Morgan heibio i bawb, sefyll o'u blaenau, a chan dynnu anadl ddofn cyffyrddodd â thannau'r delyn.

Tawodd y chwerthin. Agorodd ceg y prifathro yn un O fawr syn.

Chwaraeodd Morgan 'Ar Hyd y Nos', chwaraeodd 'Rhyfelgyrch Gwŷr Harlech', chwaraeodd 'Cwm Rhondda'. Chwaraeodd bob tiwn roedd e'n nabod, a sawl un doedd e ddim yn ei nabod o gwbl. Ddaeth dim smic o sŵn o'r gynulleidfa. Eisteddai pawb yn llonydd yn syllu arno, eu llygaid yn llydan agored a'r miwsig yn eu swyno.

Yna dechreuodd Morgan chwarae jig fywiog, a neidiodd rhes flaen y gynulleidfa ar eu traed a dechrau dawnsio. Ymunodd yr ail res, yna'r trydydd, a chyn hir roedd pawb yn dawnsio. Roedd hyd yn oed y prifathro'n slapio'i bengliniau a chwerthin wrth neidio a chwyrlïo.

Chwaraeodd Morgan un tiwn ar ôl y llall, a dawnsiodd pawb yn y neuadd fel petaen nhw'n methu stopio. Trodd wyneb y prifathro'n goch fel tân, ac roedd pobl yn ymladd am eu hanadl wrth i'w breichiau a'u coesau neidio a sboncio'n wyllt. Tra oedd y delyn yn chwarae, doedd ganddyn nhw ddim dewis ond dawnsio. Dyna'r peth mwyaf doniol welodd Morgan erioed.

"Dyna wers i chi," chwarddodd. "Fi yw'r cerddor gorau! Fi yw'r gorau am bopeth!"

Gyda hynny, torrodd tannau'r delyn â sŵn uchel. Twang! Atseiniodd un nodyn cras drwy'r neuadd, a distewi. Stopiodd pawb ddawnsio. Safon nhw'n syn, gan grafu'u pennau a cheisio dyfalu beth oedd wedi digwydd.

Edrychodd Morgan ar y darnau o bren a gwifren yn ei law, a chofiodd eiriau'r dyn rhyfedd. *Chwarae â chalon garedig, a bydd y miwsig yn gwneud i bawb deimlo'n hapus. Ond os wyt ti'n greulon, bydd y delyn yn torri.*

Gollyngodd Morgan ddarnau'r delyn ar y llawr. "Mae'n ddrwg gen i," meddai. "Nid fi yw'r cerddor gorau. Fi yw'r gwaethaf. Dwi wedi twyllo."

Cripiodd yn benisel o'r neuadd, ond yn sydyn clywodd ei ffrindiau'n galw'i enw.

"Morgan, Morgan. Am dric da! Sut gwnest ti i bawb ddawnsio?"

"Wnes i ddim," meddai Morgan. Dwedodd hanes y dyn rhyfedd a'r delyn, ond roedd hi'n amlwg bod neb yn ei gredu.

"Wel, roedd e'n dric doniol," medden nhw, "ac arnon ni oedd y bai am chwerthin am dy ben. Dere'n ôl i ni gael casglu'n gwobrau."

Wnaeth Morgan ddim ennill y wobr gerddoriaeth, ond doedd e'n poeni dim. Dododd ddarnau'r delyn yn ei fag, ac o'r dydd hwnnw ymlaen, yn lle mynnu bod yn orau, gwnaeth ei orau glas i fod yn garedig. Os oedd creulondeb wedi torri'r delyn, falle byddai caredigrwydd, drwy ryw hud a lledrith, yn ei thrwsio.

Chafodd y delyn byth mo'i thrwsio, ond roedd gan Morgan lawer o ffrindiau ac roedd pawb yn gwybod ei fod yn hoffi jôcs. Ac am y dyn rhyfedd o'r Byd Arall, welodd Morgan mohono byth eto.

Y Dail a Hongiai heb Dyfu

Fe ddois i ar draws y stori hon ar ddamwain. Roedd print o'r dudalen gyntaf ar wal gwesty lle roedd fy ngŵr yn aros, a chan ei fod yn gwybod fy mod i'n hoffi straeon gwerin, anfonodd ffotograff ata i. Ar ôl darllen y dudalen honno, roedd yn rhaid i fi chwilio am y gweddill. Mae'n perthyn i gasgliad o storïau Romani Cymreig gan John Sampson, sydd allan o brint ers tro. Dwi'n dwlu ar y stori am ei bod mor rhyfedd a hudolus. Does dim enw gan y ferch yn y stori wreiddiol, ond dwi wedi ei galw'n Seren am mai hi yw seren y stori.

*M*ewn bwthyn unig ar lethrau un o fynyddoedd Cymru roedd mam a'i merch, Seren, yn byw. Roedd mam Seren yn un o'r bobl hynny sy'n llawn cynghorion da.

Bydd yn gwrtais bob amser, a chofia ddweud "os gwelwch chi'n dda" a "diolch yn fawr".

Dechreua weithio'n gynnar yn y bore i osgoi gwastraffu'r dydd.

Os wyt ti'n gorfod gwneud rhywbeth sy'n dy ddychryn, gwna fo'n gyflym, a fydd o ddim cynddrwg wedi'r cyfan.

Yn anffodus, does neb yn gallu bwyta cyngor, ac roedd Seren a'i mam mor dlawd fel nad oedden nhw bron byth yn cael digon i'w fwyta. Ar ddydd pen-blwydd Seren yn ddeuddeg oed edrychodd ar ei theisen ben-blwydd, oedd wedi'i gwneud o ddail, a phenderfynu ei bod yn ddigon hen i fynd allan i ennill ei ffortiwn.

Cododd yn gynnar fore trannoeth i osgoi gwastraffu'r dydd; gwisgodd ei ffedog, lapio crystyn o fara yn ei hances, rhoi cusan ffarwél i'w mam, ac i ffwrdd â hi.

Roedd yr haul yn disgleirio, a chanodd Seren yn llon wrth fynd yn ei blaen. Ond, ymhen ychydig, dechreuodd ei thraed frifo, felly roedd hi'n falch iawn o weld tŷ o'i blaen. Roedd yn dŷ mawr, â pherllannau a gerddi'n llawn ffynhonnau o'i gwmpas. Ar y lawnt roedd garddwr yn cribinio'r dail, a brysiodd Seren ato.

"Esgusoda fi," meddai. "Pwy biau'r tŷ hwn? Dwi'n chwilio am waith."

Tynnodd y garddwr ei gap a chrafu'i ben. "Gwell i ti chwilio yn rhywle arall," meddai. "Mae gwrach ddrwg wedi cipio meistr ifanc y tŷ, ac mae'n debyg ei fod wedi marw erbyn hyn – dim ond tua'r un oed â ti oedd o, druan bach. Ei ewyrth ydy'r meistr nawr, a dydy o ddim yn un o'r bobl mwya serchog yn y byd – os wyt ti'n deall be sy gen i."

Aeth y dyn yn ôl i gribinio'r dail. Gwyliodd Seren o am ychydig, a meddwl tybed a ddylai hi ddilyn ei gyngor. Ond roedd ei thraed yn boenus iawn.

Os wyt ti'n gorfod gwneud rhywbeth sy'n dy ddychryn, gwna fo'n gyflym, meddyliodd. Twtiodd Seren ei ffedog, tynnu'i bysedd drwy ei gwallt a brasgamu at ddrws ffrynt y tŷ.

Ar ôl iddi guro deirgwaith, agorwyd y drws yn sydyn.

Syllai dyn yn gas arni. Roedd o'n dal ac yn denau, ac yn edrych fel petai o newydd fod mewn angladd – gwisgai ddillad du ac roedd ganddo sgwaryn o hances ddu yn ei boced ddu.

"Pwy wyt ti, a beth wyt ti eisiau?" gofynnodd yn swta. "Mae fy nai wedi marw, a dwi'n galaru amdano."

Teimlai Seren ei phengliniau'n crynu. "Os gwelwch chi'n dda, syr," meddai, "fy enw ydy Seren a dwi'n chwilio am waith. Dwi'n gryf ac yn gwybod sut i goginio a glanhau a hollti pren."

"Mae gen i ddigon o bobl i wneud hynny," meddai'r dyn. "Os wyt ti eisiau rhywbeth i'w wneud, dos i chwilio am y dail oedd yn hongian ond byth yn tyfu, a dod â nhw'n ôl i mi. Pob lwc."

Caeodd y drws yn glep yn wyneb Seren.

Am ddyn anghwrtais, meddyliodd Seren. *Mi ddysga i wers iddo. Mi chwilia i am y dail, a gwrthod eu rhoi iddo nes iddo ddweud "os gwelwch yn dda".*

Cerddodd yn ei blaen ar draws y caeau, a chyn hir daeth at afon â choed yn tyfu bob ochr iddi. Yn sbecian o'r tu ôl i goeden gollen roedd dyn bach. Gwyddai Seren ar unwaith ei fod yn un o'r Tylwyth Teg oedd yn byw yng Nghymru. Doedd o ddim mwy na hanner ei thaldra hi, ac roedd ei glustiau'n bigfain.

"Prynhawn da," meddai Seren yn gwrtais.

"Prynhawn da," meddai'r dyn bach. "Pam mae merch ifanc fel ti yn crwydro ar ei phen ei hun?"

"Mae gen i dasg i'w gwneud," meddai Seren. "Dwi'n chwilio am ddail oedd yn hongian ond byth yn tyfu. Wyt ti'n gwybod ble maen nhw?"

Aeth wyneb y dyn bach yn wyn. "Y dail oedd yn hongian ond byth yn tyfu? Yn ôl yr hanes, doedd gan y goeden gyntaf dyfodd ar y mynyddoedd hyn ddim dail, dim ond saith cangen arian yn ymestyn i'r awyr. Yna un noson cododd storm ddychrynllyd, a thrawyd y goeden gan fellten. Yn y bore, roedd saith deilen aur ar y goeden, un ar bob cangen. Mae'r dail yn llawn o hud pwerus iawn, ac yn medru gwneud i bob dymuniad ddod yn wir. Roedd y Tylwyth Teg wedi casglu'r dail a'u cadw'n ddiogel, ond amser maith yn ôl mi gawson nhw'u dwyn gan wrach ddrwg. Dos adre, ferch ifanc, neu mi gei di dy fwyta."

Chwarddodd Seren. "Does arna i ddim ofn gwrach. Os ca i afael ar y dail, be wna i â nhw?"

"Cladda nhw o dan y goeden hon," meddai'r dyn bach. "Mi awn ni â nhw'n ôl i'r Byd Arall, a byddi dithau'n cael lwc dda am weddill dy fywyd. Ond pe bawn i yn dy le di, byddwn i'n anghofio am hyn a mynd adre."

"Mi a' i ymlaen am ychydig, dwi'n meddwl," meddai Seren. Ffarweliodd ag o ac i ffwrdd â hi.

Welodd hi neb arall o gwbl am weddill y dydd. Yna, fin nos, daeth at goedwig ac yno, yn swatio rhwng y coed, roedd bwthyn bach â rhosynnau'n tyfu i fyny'r waliau a phluen o fwg yn codi o'r simnai.

Dyna beth od, meddyliodd Seren. *Bwthyn ar ei ben ei hun yn edrych mor dwt ac mor daclus. Pwy sy'n byw yno, tybed? Y wrach ddrwg, efallai.* Ond roedd Seren wedi bod yn cerdded drwy'r dydd, ac wedi bwyta'i chrystyn o fara ers tro. Roedd yn rhaid iddi ddod o hyd i rywle i aros y nos, felly aeth at y bwthyn a churo ar y drws.

Agorwyd y drws gan hen wraig mewn ffedog flodeuog â gwên fawr ar ei hwyneb. Drwy lwc, doedd hi'n ddim byd tebyg i wrach.

"Noswaith dda," meddai Seren. "Fy enw i ydy Seren a dwi'n chwilio am waith. Dwi'n gryf, ac yn dda am goginio a glanhau, a hollti pren hefyd."

Gwenodd yr hen wraig yn llydan. "Fel y gweli di, mae'r bwthyn yn berffaith lân a thaclus, ond wyt ti'n medru gofalu am anifeiliaid? Byddai'n dda cael rhywun i ofalu am y baedd du. Tyrd i mewn."

Craffodd Seren ar yr ardd. Doedd dim golwg o sied na thwlc ar gyfer baedd. Camodd yn ddryslyd drwy'r drws a sefyll yn syn.

Roedd yr unig stafell ar y llawr gwaelod yn berffaith lân a thaclus, heblaw am un gornel. Roedd y gornel honno'n llawn o wellt brwnt, ac yn gorwedd ar y gwellt roedd baedd du â choler arian am ei wddw, a chadwyn arian yn ei glymu i'r wal.

Brysiodd yr hen wraig o amgylch y stafell, gan estyn bara a chaws a chig oer, yn union fel petai cadw baedd yn eich stafell fyw yn beth hollol naturiol.

"Pam wyt ti'n cadw'r baedd yn y bwthyn?" gofynnodd Seren.

Am eiliad, gwgodd yr hen wraig. "Dwi'n hoffi'r cwmni," meddai. "Rŵan, golcha dy ddwylo a thyrd i eistedd i lawr. Mi gei di aros yma am faint bynnag fynni di, a chysgu o flaen y tân lle mae'n gynnes. Os gofali di am y baedd, mi ofala i amdanat ti."

Roedd hwnna'n gynnig da, meddyliodd Seren, gan fwynhau pryd o fwyd go iawn am y tro cyntaf yn ei bywyd. Sbeciodd ar y baedd yn swatio'n ddiflas yn ei gornel. Pa fath o berson oedd yn cadw baedd yn y tŷ? Oedd yr hen wraig yn wrach, neu ai dim ond hen wraig fach ryfedd oedd hi? Penderfynodd Seren aros yno, a cheisio cael mwy o wybodaeth am y dail oedd yn hongian ond byth yn tyfu.

Aeth wythnos heibio, ac yna un arall. Aeth Seren ati i symud yr hen wellt o gornel y baedd a rhoi gwair glân yn ei le. Ar ôl ychydig ddyddiau, gadawodd yr hen wraig iddi hollti'r coed tân a sgubo llawr carreg y bwthyn. Ond châi Seren ddim mynd i un rhan arbennig o'r tŷ, sef i fyny'r grisiau i'r stafell wely. Bob nos, roedd yr hen wraig yn dringo'r grisiau ar ei phen ei hun, ar ôl rhybuddio Seren i aros o flaen y tân.

Roedd hynny'n beth rhyfedd iawn. Tybed a oedd yr hen wraig yn wrach wedi'r cwbl? Cofiodd Seren beth ddwedodd y dyn bach wrthi – fod gwrach ddrwg wedi dwyn y dail oedd yn hongian ond byth yn tyfu.

Os oedd yr hen wraig yn wrach, byddai'n well cadw llygad arni ac aros am gyfle i chwilio am y dail.

Un noson, roedd hi'n oerach nag arfer a rhuo'r gwynt yn y simnai yn gwneud i Seren grynu. Cydiodd yn ei blanced a swatio yn y gornel yn ymyl y baedd. "Druan â ti, faedd bach," meddai. "Mae'n ddiflas bod yn garcharor fan hyn. Hoffwn i dy helpu di."

"Paid â phoeni amdana i," meddai'r baedd. "Poena di amdanat ti dy hun. Ar ôl i'r wrach fy lladd i a'm bwyta, bydd hi'n dy droi di'n hwch, a ti fydd yn gorwedd fan'ma yn fy lle."

Sgrechiodd Seren mewn syndod.

"Llai o sŵn," rhybuddiodd y baedd.

"Ond . . . ond rwyt ti'n medru siarad! Pam na ddwedaist ti rywbeth cyn hyn?"

"Fedra i ddim siarad nes bod rhywun yn siarad gyda mi," meddai'r baedd. "Dwyt ti erioed wedi dweud gair wrtha i o'r blaen. Roedd hynny braidd yn anghwrtais, ddwedwn i."

Cochodd Seren mewn cywilydd. "Mae'n ddrwg gen i. Fe ddois i yma i chwilio am ddail oedd yn hongian ond byth yn tyfu. Clywais fod gwrach ddrwg wedi'u dwyn nhw. Ai hi . . . ?" Edrychodd i gyfeiriad y nenfwd.

Nodiodd y baedd ei ben mawr. "Ie, hi ydy'r wrach. Bob nos mae'n troi'n ôl i'w ffurf gywir."

Ffurf gywir? Beth oedd hynny? Crynodd Seren. "Does dim ofn gwrachod arna i," meddai, er doedd hynny ddim yn hollol wir. "Os helpi di fi i ddod o hyd i'r dail, mi wna i dy helpu di i ddianc."

"Mae'n hawdd dod o hyd iddyn nhw, ond fydd dianc ddim yn hawdd," meddai'r baedd. "Yn gynta, rhaid i ti fynd i'r llofft yn dawel bach, heb ddeffro'r wrach. Dos at ei gwely a rhoi dy law o dan ei gobennydd. Yno mae pwrs lledr. Dyna lle mae hi'n cadw'r dail. Ond cymer ofal. Os bydd hi'n deffro, bydd hi'n siŵr o dy ladd di."

Syllodd Seren ar y grisiau cul yn diflannu i'r tywyllwch. *Os wyt ti'n gorfod gwneud rhywbeth sy'n dy ddychryn, gwna fo'n gyflym.* Cododd Seren a cherdded ar flaenau'i thraed at waelod y grisiau.

Cripiodd i fyny fesul gris, a rhewi bob tro roedd styllen yn gwichian. Roedd y grisiau'n teimlo'n ddiddiwedd, ac, wrth ddringo clywodd sŵn dychrynllyd – rhyw sugno a rhuo mawr. Ar ôl cyrraedd pen y grisiau, sylweddolodd beth oedd o.

Y wrach oedd yn chwyrnu.

Shchrrrr-grrrrr-wmff, shchrrrr-grrrrr-wmff.

Wrth i lygaid Seren ddod i arfer â'r tywyllwch, gwelodd fod trwch o lwch ar y llawr yn gymysg â sbwriel a hen fwyd wedi pydru. Roedd pryfed yn hedfan yn swnllyd o gwmpas, a darnau o we pry cop yn hongian o'r nenfwd. Gorweddai'r wrach ar wely du yng nghanol y stafell.

Shchrrrr-grrrrrr-wmff, shchrrrr-grrrrr-wmff.

Cripiodd Seren drwy'r llanast ar y llawr, a'i chalon yn curo mor gyflym nes bron â thasgu o'i brest. Doedd y wrach ddim yn edrych fel hen wraig annwyl rŵan. Roedd y dwylo a gydiai yn y cynfasau yn edrych fel crafangau, a'r wyneb llwyd uwchben yn blastr o blorynnod a chornwydydd oedd yn gwingo wrth i'r wrach chwyrnu.

Shchrrrr-grrrrr-wmff.

Estynnodd Seren law grynedig a'i gwthio'n ara' bach dan obennydd y wrach.

Shchrrrr-grrrrr-wmff, shchrrrr-Grrrrrr-WMFF.

Cyffyrddodd blaen bys Seren â darn o ledr.

Y pwrs! meddyliodd Seren. Tynnodd o allan yn ofalus a rhuthro ar flaenau'i thraed ar draws y stafell.

Shchrrrr-grrrrr-wmff.

Unwaith eto roedd y wrach yn chwyrnu'n rheolaidd ac erchyll.

Crafodd Seren we pry cop oddi ar ei hwyneb, gan deimlo'n sâl a phenysgafn. Cripiodd yn ôl i lawr y grisiau cyn gynted ag y medrai.

"Ydy o gen ti?" gofynnodd y baedd.

Nodiodd Seren. Agorodd y pwrs a gweld saith deilen aur, pob un mor ffres â phetai hi newydd gael ei thynnu o'r goeden. Dododd ei llaw yn y pwrs. "Dwi'n dymuno rhyddhau'r baedd, a bod y baedd a fi'n cael dianc oddi yma," meddai.

Torrodd coler arian y baedd â chlec uchel. Cododd y baedd ar ei draed ôl, ond nid baedd oedd o bellach. O flaen Seren safai bachgen tua'r un oed â hi.

Ebychodd Seren mewn syndod. "Mi es i i ryw dŷ yng nghanol perllannau a ffynhonnau, lle roedd y meistr ifanc wedi cael ei gipio gan wrach. Ti ydy hwnnw?"

"Ie," meddai'r bachgen. "Daeth fy ewythr i ofalu amdana i ar ôl i fy rhieni farw, ond mae o'n greulon a ffiaidd. Er mwyn ei osgoi, dechreuais fynd allan am dro. Ond un diwrnod mi grwydrais yn rhy bell a chael fy nal gan y wrach. Betia i ti mai dim ond smalio galaru amdana i mae fy ewyrth."

"Mi wnawn ni boeni amdano fo'n nes 'mlaen," mynnodd Seren. "Yn gynta, rhaid i ni ddianc."

Ar y gair, clywson nhw lais y wrach. "Seren? Ti sy 'na? Beth wyt ti'n wneud?"

Rhewodd y ddau mewn braw, ond symudodd y procer yn y lle tân. "Dim ond rhoi mwy o bren ar y tân," galwodd yn llais Seren.

"Brysia," sibrydodd Seren. Cydiodd yn llaw'r bachgen a rhedon nhw at y drws.

Yn y llofft, gwichiodd y gwely a gwaeddodd y wrach eto. "Seren, ble wyt ti? Tyrd i fyny fan'ma."

Dawnsiodd yr ysgub yn y gornel. "Dwi ar fy ffordd!"

Agorodd Seren y drws.

"Seren!" rhuodd y wrach. "Ble mae fy mhwrs i? Ble mae'r dail oedd yn hongian ond byth yn tyfu?"

Y tro hwn, chafodd hi ddim ateb. Roedd Seren a'r bachgen yn rhedeg am eu bywydau.

Rhuthrodd y wrach i lawr y grisiau. Gwelodd y stafell wag, y coler yn gorwedd yn ddarnau ar y llawr, a'r drws llydan agored. Cydiodd yn ei hysgub a neidio arni. "Dilyna nhw!" gorchmynnodd.

Roedd ganddi ddigon o bwerau hud i reoli popeth yn ei thŷ ei hun. Cododd yr ysgub i'r awyr.

Clywodd Seren a'r bachgen hi'n rhuo ar eu holau. Agorodd Seren y pwrs a rhoi ei llaw ar y dail. "Dwi'n dymuno cael ein cuddio rhag y wrach," meddai'n wichlyd.

Ar unwaith dyma hi'n troi'n hwyaden a'r bachgen yn troi'n llif o ddŵr.

Eiliad yn ddiweddarach glaniodd ysgub y wrach ar y glaswellt. "Hwyaden!" gwaeddodd. "Welaist ti fachgen a geneth yn rhedeg ffordd hyn?"

Cwaciodd yr hwyaden a phlymio dan y dŵr.

Bloeddiodd y wrach mewn tymer a hedfan ymlaen. Cyn hir, dechreuodd yr ysgub grynu. "Rhaid i ti hedfan yn gyflymach," gorchmynnodd y wrach, a'i chicio. Ond oherwydd ei bod wedi colli'r dail aur, roedd ei phwerau'n gwanhau. Stopiodd yr ysgub yn sydyn a phlymio i'r ddaear. Glaniodd y wrach ar ei phen a bu farw yn y fan a'r lle.

Clywodd yr hwyaden a'r llif dŵr y glec, ac ymhen chwinciad chwannen roedden nhw wedi troi'n Seren a bachgen unwaith eto.

"Tyrd," meddai Seren, ac ailddechrau rhedeg. Wrth i'r wawr dorri drwy'r cymylau, cyrhaeddon nhw dŷ'r bachgen. Agorodd yr ewythr y drws yn sydyn, a phan welodd nhw bu bron iawn iddo ddisgyn i'r llawr mewn syndod.

"Achubodd Seren fi," meddai'r bachgen. "Dwi eisiau iddi ddod yma i fyw efo ni."

Doedd y dyn ddim yn hoffi'r syniad, sylwodd Seren. Roedd ei lygaid fel cerrig. "Na," meddai. "Gofynnais iddi ddod o hyd i'r dail oedd yn hongian ond byth yn tyfu, ac mi ddaeth â ti'n ôl yn eu lle. Felly, i ffwrdd â hi'r munud hwn."

"O, mae'r dail gen i," meddai Seren. Tynnodd ei phwrs o'i phoced a'i ddangos iddo. Estynnodd yr ewyrth ei law, ond dododd Seren y pwrs yn ôl yn ei phoced. "Mi gei di nhw'n nes ymlaen," meddai, rhag ofn iddo'i thaflu o'r tŷ cyn gynted ag y câi afael ar y dail. "Ond yn gynta, rydyn ni'n dau wedi blino'n lân ac mi hoffen ni orffwys am ychydig."

Gwenodd yr ewyrth yn gam, er bod ei lygaid yn

fflachio mewn tymer. "Gwell i chi ddod i mewn, mae'n debyg," meddai'n anfodlon. "Mi wna i baratoi stafell wely ar dy gyfer di, ferch."

Eisteddodd Seren a'r bachgen yn y gegin a bwyta brecwast gyda'i gilydd, yna aeth yr ewyrth â Seren i stafell lle roedd gwely mawr pedwar postyn â chanopi trwm drosto.

"Dyma ti," meddai, gan swnio'n serchog am unwaith. "Cysga'n dawel."

Gorweddodd Seren i lawr, ond doedd hi ddim yn teimlo'n gysurus o gwbl. Roedd y gwely'n feddal, ac roedd hi wedi arfer cysgu ar lawr caled bwthyn y wrach. Cododd o'r gwely a gorwedd ar y carped, a chyn hir roedd hi'n cysgu'n drwm. Efallai ei bod wedi chwyrnu rhyw 'chydig hefyd.

Yn sydyn, cafodd Seren ei deffro gan glec anferth. Neidiodd ar ei thraed, a'i chalon yn curo'n wyllt. Roedd canopi'r gwely wedi disgyn a gwasgu'r fatres oddi tano'n fflat.

Rhuthrodd pobl i mewn i'w stafell. Yr ewyrth oedd yr olaf i gyrraedd. Sylwodd Seren fod y gweision yn crynu mewn braw, ond dim ond edrych yn flin wnaeth yr ewyrth wrth weld Seren.

Gwthiodd Seren ei llaw i'w phoced a chyffwrdd â'r dail. "Dwi'n dymuno i ti ddweud y gwir," meddai wrtho. "Wnest ti geisio fy lladd i?"

Cochodd yr ewyrth, ac yna troi'n wyn. Crychodd ei wefusau a thynnu pob math o 'stumiau wrth wneud ei orau glas i beidio dweud gair. "Do!" meddai o'r diwedd. "Dwi eisiau'r dail i mi fy hun a dwi ddim eisiau i ferch dlawd fel ti fod yn ffrindiau â fy nai. Mi wna i ddal ati i geisio dy ladd di – ac yn y diwedd mi fydda i'n siŵr o lwyddo."

Edrychodd pawb arno mewn dychryn. Galwodd y gweision am y gwarchodwyr ac aethon nhw â'r ewyrth i'r carchar.

Doedd y bachgen ddim fel petai'n poeni rhyw lawer am ei ewyrth. Roedd yn poeni mwy am Seren – gallai hi fod wedi cael niwed ofnadwy. Anfonodd was i nôl mam Seren, er mwyn i'r tri gael byw gyda'i gilydd yn y tŷ crand.

Tra oedden nhw'n aros, cydiodd Seren yn y pwrs o ddail, a cherdded ar draws y caeau at yr afon. Yno fe gladdodd hi'r pwrs dan y goeden gollen a ddangosodd y dyn bach iddi.

Pan gyrhaeddodd hi'n ôl i'r plasty, roedd ei mam yn aros amdani. O'r dydd hwnnw ymlaen, bu Seren a'i mam a'r bachgen yn byw'n hapus gyda'i gilydd, a chafodd y tri lwc dda am weddill eu hoes.

Y Diafol a Jac y Cawr

Ger tref farchnad y Fenni, mae mynydd o'r enw Ysgyryd Fawr. Ystyr Ysgyryd yw "hollt", ac os edrychi di ar y mynydd byddi di'n deall pam. Mae darn mawr o gopa'r mynydd ar goll, fel petai wedi'i hollti'n ddau. Mae'r darn sydd ar goll yn sefyll gerllaw, sef y bryn o'r enw Ysgyryd Fach.

Tirlithriad achosodd hyn, yn ôl y daearegwyr, ond dyw daearegwyr ddim yn gwybod dim am y diafol a Jac y Cawr. Dyma dair stori. Mae'r ddwy gyntaf yn egluro sut cafodd Mynydd Ysgyryd ei enw. Dwi wedi cynnwys y ddwy er mwyn i ti benderfynu pa fersiwn sydd fwyaf credadwy. Mae'r drydedd stori'n sôn am Jac y Cawr ar ddiwedd ei fywyd, ac yn dangos pa mor glyfar oedd e.

1.

Os byddi di'n dringo i gopa Mynydd Ysgyryd, fe weli di garreg fawr wastad yno sy'n edrych yn debyg i fwrdd. Enw'r garreg hon yw Bwrdd y Diafol achos, fel mae pawb yn gwybod, roedd y diafol yn arfer dod yma i chwarae cardiau gyda Jac y Cawr.

Nawr, mae'r diafol yn straeon Cymru yn wahanol iawn i'r diafol mewn straeon o fannau eraill. Mae'n hoffi chwarae triciau ar bobl, ond mae'n meddwl ei fod yn glyfrach nag yw e, ac felly, yng Nghymru o leiaf, mae pawb yn gwneud ffŵl ohono byth a hefyd. Dyna pam y gweli di e'n aml yn stampio'i draed mewn tymer ar y Mynyddoedd Duon.

Roedd Jac y Cawr yn nabod y diafol ers blynyddoedd, a doedd e ddim yn ei ofni o gwbl. Enw iawn Jac oedd Jac O'Kent ac roedd e'n byw ar y ffin rhwng Lloegr a Chymru. Dewin oedd e, ac roedd pobl yn ei alw'n Jac y Cawr achos . . . wel, os wyt ti am wahodd Jac i ginio, gwell paratoi picnic yn yr ardd. Fel arall, falle bydd Jac – ar ddamwain, wrth gwrs – yn tynnu dy ddrws ffrynt oddi ar ei golfachau neu'n torri dy gelfi i gyd. Neu'n gwthio'i ben drwy'r nenfwd.

Un diwrnod braf, roedd Jac a'r diafol yn eistedd ar gopa crwm Mynydd Ysgyryd. Nid dyna oedd ei enw bryd hynny, wrth gwrs. Rhwng y diafol a'r cawr gorweddai'r garreg fawr wastad o'r enw Bwrdd y Diafol, ac ar y bwrdd roedd pac o gardiau. Roedd rhai o'r cardiau wedi'u rhwygo yn eu hanner.

"Fe dwyllaist ti!" gwaeddodd y diafol, a rhwygo cerdyn arall.

"Ti ddechreuodd," meddai Jac y Cawr. "Rwyt ti wedi bod yn twyllo drwy'r dydd, ond fi sy wedi ennill pob gêm."

"Aaaa!" Sgubodd y diafol y cardiau oddi ar y bwrdd. Aeth sawl un ar dân.

"Dere i ni chwarae rhywbeth arall," meddai Jac y Cawr, yn rhannol am ei fod eisiau tawelu pethau, ac yn rhannol am fod y diafol wedi difa'r pac cyfan o gardiau, bron iawn.

Pwdodd y diafol, plethu'i freichiau a gwthio'i ên i'w frest. Gwenodd Jac y Cawr, ymestyn ei goesau hir a rhoi ei draed mawr ar y bwrdd. "Wel," meddai, "mae'n ddiwrnod braf heddiw."

Byddai'r diafol wedi cytuno, oni bai am ei dymer ddrwg. Roedd yr awyr yn las, y cymylau'n fflwfflyd a'r haul yn llachar. O'u safle wrth y bwrdd, roedd Jac a'r diafol yn gallu gweld copa gwyrdd Mynydd Pen-y-fâl gyferbyn. Er ei fod bum neu chwe milltir i ffwrdd ar draws y caeau, edrychai bron yn ddigon agos i'w gyffwrdd.

Syllodd Jac yn feddylgar ar Ben-y-fâl. "Betia i ti y gallwn i neidio draw fan'na," meddai.

"Betia i ti na allet ti ddim," meddai'r diafol yn bigog.

Edrychodd Jac y Cawr ar y diafol a chodi un ael. "Bet go iawn oedd honna, neu un o dy heriau dwl di?"

Chwythodd y diafol mewn tymer. "Dwi byth yn gosod her ddwl." Neidiodd ar ei draed. "Betia i ddeg punt na alli di ddim neidio o'r fan hyn i gopa Pen-y-fâl."

Symudodd Jac y Cawr ei draed mawr oddi ar Fwrdd y Diafol, a chodi. "Dwi'n derbyn yr her," meddai. "Sa'n ôl."

Plygodd ei bengliniau a siglo'i freichiau'n ôl ac ymlaen. Sgrialodd y diafol o'r ffordd. Tynnodd Jac anadl mor ddofn nes sugno pob cwmwl yn yr awyr tuag ato. Yna, gyda bloedd fawr, gollyngodd ei anadl, siglo'i freichiau tuag yn ôl ac, â chic enfawr, gwthiodd ei hun o gopa'r mynydd â 'i holl nerth.

Am ychydig eiliadau teimlai fel petai'n hedfan. Islaw roedd pobl fach, fach yn pwyntio tuag ato. Hedfanodd aderyn syn heibio. Yn sydyn, ymddang-osai Pen-y-fâl yn bell, bell i ffwrdd. Chwyrlïodd Jac ei freichiau fel rhod melin wynt, troi din-dros-ben, cyrlio'n bêl a disgyn.

Glaniodd â chlec wnaeth i'r ddaear grynu. Gorweddodd yno am foment a'i ben yn troi, yna neidiodd ar ei draed. Roedd yn sefyll ar gopa Pen-y-fâl. Roedd wedi ennill!

"Hei, ddiafol," gwaeddodd, gan wneud dawns ddathlu ar y copa. "Mae arnat ti ddeg punt i fi!"

Ond yna sylwodd fod y mynydd lle cychwynnodd ei naid yn edrych yn od iawn. Yn lle copa crwm llyfn, bellach roedd dau bigyn garw'n ymestyn i'r awyr.

Pop! Gyda chwythwm o wynt ac arogl sylffwr, ymddangosodd y diafol yn ymyl y cawr.

"Rwyt ti wedi torri'r mynydd," meddai.

Roedd hynny'n wir. Wrth i Jac gychwyn ei naid enfawr, roedd wedi cicio'r ddaear mor galed nes torri darn o'r mynydd i ffwrdd, a nawr roedd y copa crwm wedi'i hollti'n ddau.

A dyna sut cafodd Mynydd Ysgyryd ei enw.

Neu falle ddim . . .

2.

Un diwrnod braf, roedd Jac a'r diafol yn eistedd ar gopa crwm Mynydd Ysgyryd. Nid dyna oedd ei enw bryd hynny, wrth gwrs. Rhwng y diafol a'r cawr gorweddai carreg fawr wastad o'r enw Bwrdd y Diafol, ac ar y bwrdd roedd pac o gardiau. Roedd rhai o'r cardiau wedi'u rhwygo yn eu hanner.

"Fe dwyllaist ti!" gwaeddodd y diafol, a rhwygo cerdyn arall.

"Ti ddechreuodd," meddai Jac y Cawr.

"Aaaa!" Sgubodd y diafol y cardiau oddi ar y bwrdd. Aeth sawl un ar dân.

Gwenodd Jac y Cawr, ymestyn ei goesau hir a rhoi ei draed mawr ar y bwrdd. "Wel," meddai, "mae'n ddiwrnod braf heddiw."

Byddai'r diafol wedi cytuno, oni bai am ei dymer ddrwg. Roedd yr awyr yn las, y cymylau'n fflwfflyd a'r haul yn llachar. O'u safle wrth y bwrdd, roedd Jac a'r diafol yn gallu gweld copa gwyrdd Mynydd Pen-y-fâl ar draws y caeau ac, i'r cyfeiriad arall, roedden nhw'n gweld Bryniau Malvern yn Lloegr.

"Betia i 'mod i'n gwybod beth sy ar dy feddwl di," meddai'r diafol.

"Betia i nad wyt ti ddim," meddai Jac y Cawr. "Meddwl o'n i dy fod ti'n gollwr gwael sy'n twyllo wrth chwarae cardiau."

Roedd wyneb y diafol yn ddigon coch yn barod, ond aeth yn gochach fyth. "Wel, betia i na alli di ddim dyfalu beth sy ar fy meddwl i."

"O'r gore," meddai Jac. "Beth sy ar dy feddwl di?"

Mwynhau'r olygfa oedd yr unig beth ar feddwl y diafol, ond doedd e ddim eisiau cyfaddef hynny. Trodd o'i gwmpas yn araf. "Meddwl o'n i," meddai, gan wthio'i frest allan ryw ychydig, "p'un o'r bryniau acw sy dalaf? Bryniau Malvern yn Lloegr, neu hwnna draw fan'na?"

Chwarddodd Jac y Cawr. "Twt lol! Mae hynna'n amlwg i bawb. Pen-y-fâl, wrth gwrs. Mae'n dalach o lawer."

Doedd gan y diafol ddim ots o gwbl pa fryn oedd dalaf, nes i Jac ddweud ei farn. Nawr plethodd ei freichiau'n ystyfnig. "Dwyt ti'n gwybod dim," meddai. "Mae Bryniau Malvern yn dalach na Phen-y-fâl. Gall unrhyw ffŵl weld hynny."

Crafodd Jac ei ben. "Mae'n ddigon hawdd setlo

hyn. Dere i'w mesur. Betia i ti ddeg punt mai Pen-y-fâl sy dalaf."

"Iawn!" meddai'r diafol. Tynnodd ei het a gwisgo ffedog fawr gynfas yn llawn pocedi. Yn mhob poced roedd llinyn mesur. Curodd ei ddwylo a chododd e a Jac y Cawr i'r awyr, hedfan ar draws gwlad a glanio wrth droed Bryniau Malvern.

Mesuron nhw bob bryn, a sgrifennodd y ddau y rhifau i lawr, rhag ofn bod y llall yn twyllo. Ar ôl gorffen, curodd y diafol ei ddwylo eto a hedfanon nhw'n ôl gan lanio ar lethrau Pen-y-fâl.

Dadroliodd y diafol y llinyn mesur cyntaf, ac yna'r ail, ac yna'r trydydd, ac ymlaen ac ymlaen.

Dechreuodd Jac y Cawr chwerthin. "Pen-y-fâl yw'r talaf."

"Nage ddim," meddai'r diafol yn gwta. "Bydd dawel a helpa fi i fesur."

Ar ôl gorffen, cipiodd y diafol nhw'n ôl i Fwrdd y Diafol, lle cychwynnodd y ddadl. "Felly, mae'r bryn uchaf ym Malvern yn mesur pedwar cant dau ddeg pump o fetrau . . ." meddai'r diafol, gan droi tudalennau ei lyfr nodiadau. "Ac mae Pen-y-fâl yn mesur . . ." Aeth ei wyneb yn goch fel tân.

"Pum cant naw deg chwech metr," meddai Jac y Cawr, a chipio'r llyfr nodiadau o law'r cawr. "Rwyt ti wedi colli!"

Stampiodd y diafol ei droed. "Fe ddangosa i i ti!" Llanwodd y diafol ei ffedog â phentwr enfawr o bridd o gopa'r mynydd, a hedfan i'r awyr. "Dwi'n mynd i ollwng y pridd 'ma ar ben Bryniau Malvern," gwaeddodd. "Wedyn fe gawn ni weld pa fynydd sy dalaf."

Ond roedd y ffedogaid o bridd mor drwm nes bod y diafol yn cael trafferth hedfan. Cyn hir, clywodd rywbeth yn rhwygo – roedd cynfas trwm y ffedog yn dechrau hollti!

"NAAA!" rhuodd y diafol wrth i'r ffedog dorri'n ddau ddarn. Syrthiodd y pridd yn un pentwr a chreu bryn bach islaw.

Pan edrychodd y diafol yn ôl, gwelodd gopa garw'r mynydd roedd e wedi'i ddifetha, a Jac y Cawr yn chwerthin am ei ben.

Dyna sut cafodd Mynydd Ysgyryd ei enw. Ac enw'r bryn a greodd y diafol drwy ddamwain yw Ysgyryd Fach.

Ond roedd y diafol mewn tymer ddrwg iawn. "Fi fydd yn chwerthin yn y diwedd, Jac O'Kent," gwaeddodd. "Pan wyt ti wedi marw ac yn dy fedd, y tu mewn i'r eglwys neu'r tu allan, fe gipia i di i ffwrdd, gorff ac enaid."

Ond stori arall yw honno . . .

3.

Wnaeth y diafol ddim ymweld yn aml â Jac y Cawr ar ôl i Jac wneud ffŵl ohono ar Fynydd Ysgyryd. Roedd e'n gollwr gwael iawn, wedi'r cyfan. Ond wnaeth Jac ddim anghofio'i eiriau olaf. "Pan wyt ti wedi marw ac yn dy fedd, y tu mewn i'r eglwys neu'r tu allan, fe gipia i di i ffwrdd, gorff ac enaid."

Aeth blynyddoedd lawer heibio. Erbyn hynny roedd Jac yn hen ac yn gwybod y byddai'n marw cyn bo hir. Galwodd ei deulu i gyd ato a gwneud un cais rhyfedd iawn.

"Wyddoch chi am Eglwys Grysmwnt?" meddai.

Nodiodd ei berthnasau. Honno oedd yr eglwys fwyaf yn y Fenni, a hi oedd â'r waliau uchaf a mwyaf trwchus.

"Wel," meddai Jac, "ar ôl i fi farw, dwi am i chi addo agor un o waliau'r eglwys a 'nghladdu y tu mewn iddi. Dwi ddim eisiau bod y tu mewn i'r eglwys na'r tu allan."

Roedd teulu Jac yn methu'n lân â deall pam ei fod yn dweud hyn, ond roedd Jac wedi byw bywyd rhyfedd, a fyddai e byth yn gofyn y fath beth oni bai bod ganddo reswm da iawn.

Fis yn ddiweddarach, bu farw Jac. Gwnaeth ei deulu'r trefniadau i gyd, a daeth dynion i gario'r arch – pum deg ohonyn nhw, achos, fel rwyt ti'n cofio, roedd Jac yn gawr. Cludon nhw'r arch yr holl ffordd i Eglwys Grysmwnt.

Yn yr eglwys, ymunodd dyn rhyfedd iawn yr olwg â'r galarwyr. Roedd e'n gwisgo siwt ddu a het uchel, ac roedd rhyw awgrym o arogl mwg o'i gwmpas. Eisteddodd yng nghefn yr eglwys a gwenu'r holl ffordd drwy'r gwasanaeth, er bod y ficer yn cipedrych yn gas iawn arno.

Gorffennodd y gynulleidfa ganu'r emyn olaf. "A nawr," meddai'r ficer, "mae'n bryd i ni ddweud ein ffarwél olaf."

Giglodd y dyn yn y sedd gefn.

Camodd yr archgludwyr ymlaen a chodi arch Jac. Yna, yn lle'i chario allan i'r fynwent, croeson nhw'r eil a'i rhoi mewn twll yn wal yr eglwys.

Neidiodd y dyn yng nghefn yr eglwys ar ei draed â sgrech o dymer. "Alla i ddim credu hyn!" bloeddiodd. "Mae Jac O'Kent wedi fy nghuro i eto!"

Trodd y galarwyr i gyd i edrych arno, ond diflannodd y dyn rhyfedd, gan adael dim ar ei ôl ond arogl cryf o fwg.

Rhiannon a'i Babi

Dyma stori arall o'r Mabinogi am Pwyll, Tywysog Dyfed, ond sôn yn bennaf am ei wraig Rhiannon a'u mab bach mae'r stori hon. Os wyt ti'n cofio, roedd Rhiannon i fod i briodi dyn o'r enw'r Arglwydd Gwawl, ond fe dwyllodd hi Gwawl a phriodi Pwyll yn ei le.

oedd Rhiannon, Tywysoges Dyfed, yn hapus iawn. Roedd hi wedi priodi'r Tywysog Pwyll ac wrth ei bodd yn byw yn ei gastell yng Nghymru. Yna, ar ôl pedair blynedd, digwyddodd rhywbeth cyffrous iawn. Cafodd Rhiannon fab bach.

Roedd y rhan fwyaf o bobl yn falch iawn o glywed y newyddion, ond dechreuodd rhai sibrwd wrth ei gilydd.

"Mae'r Dywysoges Rhiannon yn gallu bwrw swyn-ion," medden nhw. "Beth os oes hud yn y babi hefyd? Mae hud yn beryglus."

"Peth od bod y Tywysog Pwyll wedi mynd i ffwrdd i briodi heb ddweud wrth neb," meddai un. "Tybed a wnaeth y Dywysoges Rhiannon ei hudo i'w phriodi?"

Roedd Pwyll yn dotio cymaint ar y babi newydd, chymerodd e ddim sylw o'r sibrydion. Dewisodd chwech o wragedd y castell i ofalu am y tywysog bach.

Ond roedd yn well gan y gwragedd hel clecs na gofalu am y babi. Bob nos roedden nhw'n clebran tan yn hwyr.

"Wyddech chi hyn?" meddai un. "Roedd y Dywysoges Rhiannon i fod i briodi rhywun arall."

"A beth am hyn?" meddai'r ail wraig. "Fe farchog-odd hi i Ddyfed ar ei phen ei hun a gofyn i Pwyll ei phriodi. Nid fel 'na mae tywysoges yn ymddwyn."

"Dim o gwbl," meddai'r drydedd wraig. "Ac mae pawb yn gwybod ei bod hi'n gallu bwrw swynion. Dyw hynny ddim yn iawn. Dylai Pwyll fod wedi priodi tywysoges go iawn o Gymru, nid un o'r Byd Arall."

Bu'r chwech yn clebran tan yr oriau mân, nes syrthio i gysgu fesul un.

Yn ei grud, roedd y tywysog bach yn cysgu hefyd. Sylwodd neb ar y cysgod yn cripian dros y wal, na'r llaw yn estyn drwy'r ffenest.

Yn y bore, pan ddeffrodd y gwragedd, roedd y crud yn wag.

Cododd pawb ar eu heistedd mewn braw.

"Beth wnawn ni?" gofynnodd y wraig gyntaf. "Os bydd Pwyll yn gweld bod y babi ar goll, bydd e'n ein gyrru ni o'r castell am byth."

"Neu'n ein rhoi i farwolaeth," meddai'r ail wraig.

Yna fe ddwedodd y drydedd wraig rywbeth wnaeth i bawb arall ebychu mewn braw.

"Na! Allwn ni ddim gwneud y fath beth," meddai'r bedwaredd wraig ar ôl gwrando beth oedd ganddi i'w ddweud. "Dyw hynny ddim yn iawn."

"Ond mae'n rhaid i ni wneud *rhywbeth*," meddai'r bumed wraig. "Os dwedwn ni'r gwir wrth Pwyll, gallai'n lladd ni!"

Cododd y chweched gwraig a syllu ar y crud gwag. "Synnwn i ddim," meddai, "mai'r Dywysoges

Rhiannon sy'n gyfrifol am hyn. Mae hi'n dod o'r Byd Arall, cofiwch. Gall pobl fel hi wneud unrhyw beth."

Ac felly dechreuodd y chwe gwraig grio a nadu, a rhuthron nhw i'r neuadd fawr lle roedd Pwyll a Rhiannon yn cael brecwast.

"Newyddion drwg iawn!" gwaeddon nhw. "Mae'r Dywysoges Rhiannon wedi bwyta'i babi!"

Neidiodd Pwyll ar ei draed. Aeth wyneb Rhiannon yn wyn. Doedd hi ddim wedi bwyta'i babi! Pam fyddai unrhyw un yn meddwl y fath beth?

Rhedodd i stafell y babi a sefyll yn stond o flaen y crud gwag.

"Mae rhywun wedi'i ddwyn e," meddai a dechrau beichio crio.

Lledodd sibrydion ar ras drwy'r plas. Roedd y babi wedi diflannu, fel petai drwy swyn, a'r unig un oedd yn gallu bwrw swynion oedd Rhiannon.

"Dy fai di yw hyn am briodi tywysoges hud," meddai ffrindiau Pwyll. "Nawr dyma'n cyngor ni. Rho Rhiannon i farwolaeth a phriodi tywysoges Gymreig go iawn."

"Trueni na allet ti ei throi hi'n geffyl," meddai un o'r marchogion, "gan ei bod hi mor hoff o farchogaeth."

Allai Rhiannon ddim credu'i chlustiau, na Pwyll chwaith, yn ôl yr olwg ar ei wyneb. Roedd fel petai'r plas cyfan yn troi yn eu herbyn.

Edrychodd Pwyll yn ymbilgar ar Rhiannon. Ochneidiodd y dywysoges. Roedd hi'n gwybod beth oedd yn mynd i ddigwydd – roedd Pwyll bob amser yn rhy barod i blesio'i ffrindiau.

"Dwi wedi penderfynu ar dy gosb di," meddai Pwyll. "Am saith mlynedd rhaid i ti eistedd wrth borth y ddinas, a phan fydd ymwelwyr yn dod i mewn rhaid i ti eu cario ar dy gefn drwy'r strydoedd, fel petait ti'n geffyl."

O leia' doedd e ddim yn mynd i'w lladd. Plygodd Rhiannon ei phen a chytuno.

Am y chwe mis nesaf, bu Rhiannon yn cario ymwelwyr ar ei chefn, ond gofalodd ddweud wrth bob un ohonyn nhw bod ei babi wedi diflannu. *Mae'n rhaid bod rhywun yn gwybod beth sydd wedi digwydd iddo*, meddyliodd.

Lledodd hanes y tywysog bach coll drwy Gymru nes cyrraedd Teyrnas Gwent, lle roedd arglwydd o'r enw Teyrnon yn cuddio mewn stabl, yn gwylio'i hoff gaseg yn geni ebol.

Hon oedd y gaseg harddaf fu gan Teyrnon erioed. Ond bob tro roedd hi'n cael ebol, roedd yr ebol yn diflannu. Y tro hwn, roedd Teyrnon yn benderfynol o ddal y lleidr.

Cododd yr ebol newydd ar ei draed yn grynedig ar drawiad hanner nos. Gwelodd Teyrnon gysgod yn cripian dros y wal. Neidiodd ar ei draed a thynnu'i gleddyf, wrth i fraich fwystfilaidd estyn i'r stabl a chipio'r ebol o ochr ei fam.

Gwaeddodd Teyrnon a tharo'r fraich â'i gleddyf. Gollyngodd y bwystfil yr ebol a dianc dan sgrechian. Rhedodd Teyrnon o'r stabl ar ei ôl, ond roedd wedi diflannu. Yn ei le, gwelodd blentyn wallt golau'n gorwedd yn y mwd.

Aeth Teyrnon â'r babi'n ôl i'r tŷ a deffro'i wraig.

"Dyna beth od," meddai hi. "Clywais i'r dydd o'r blaen fod babi'r Dywysoges Rhiannon wedi diflannu rai misoedd yn ôl. Mae pobl yn dweud ei bod hi wedi bwyta'r bachgen, ond mae hi'n dweud ei fod wedi diflannu o'r crud yn ystod y nos. Tybed ai hwn yw'r babi?"

Ar doriad y wawr, teithiodd Teyrnon a'i wraig i Ddyfed.

Roedd Rhiannon yn eistedd wrth y porth. Roedd hi'n frwnt ac wedi blino'n lân ar ôl cario'r bobl, ond pan welodd hi'r babi gwaeddodd yn uchel a'i godi yn ei breichiau, gan deimlo'i holl ofidiau'n diflannu.

Dwedodd Teyrnon wrthi beth oedd wedi digwydd a brysion nhw i'r castell i ddweud wrth Pwyll.

" . . . Ac felly," meddai Rhiannon, "roedd gwragedd y llys a dy ffrindiau i gyd yn anghywir." Edrychodd ar yr holl wynebau gwelw o'i chwmpas yn neuadd y castell. Gallai ofyn i Pwyll gosbi pawb oedd wedi dweud celwydd amdani, ond byddai hynny'n golygu bod Pwyll yn gorfod cosbi rhai o'i ffrindiau. "Dwi wedi cael digon o gosbi," meddai. "Cael ein babi yn ôl yw'r peth mwya pwysig."

Cochodd pob un o ffrindiau Pwyll, yn enwedig y rhai oedd wedi awgrymu lladd Rhiannon, a phawb yn gwingo mewn cywilydd. Y diwrnod hwnnw paciodd y chwe gwraig eu heiddo a gadael y plas yn dawel bach. Doedd dim ots gan Rhiannon. Roedd hi mor falch o gael ei babi'n ôl. "Does dim rhaid i fi bryderu dim mwy," meddai, a phenderfynodd roi enw newydd i'r babi – Pryderi.

Daeth Teyrnon a'i wraig yn ffrindiau mawr i'r teulu, a byddai Pryderi'n ymweld â nhw'n aml. Pan dyfodd i fyny, daeth y tywysog ifanc yn un o arwyr mwyaf Cymru. Mae stori arall amdano yn nes ymlaen yn y llyfr hwn.

Pwca yn y Pwll Copr

Mae 'na byllau mwyn yng Nghymru ers miloedd o flynyddoedd. Cyn y pyllau glo, roedd yma byllau plwm, aur a chopr. Ac ar hyd y canrifoedd, mae mwynwyr yn y pyllau hyn wedi dweud storïau am y bodau hud sy'n byw dan y ddaear.

Doedd Alys ddim yn hoffi'r pwll. Doedd hi erioed wedi'i hoffi, er bod pawb roedd hi'n nabod yn gweithio yno, yn cloddio copr o'r ddaear galed. Roedd y twnelau'n oer a thywyll, ac mor gul mewn mannau nes bod raid i chi wasgu drwyddyn nhw wysg eich ochr. Y tro diwethaf iddi fentro i mewn, roedd hi wedi dechrau cael panig a methu anadlu.

"Ond mae'r pwll yn ddiogel," meddai Gethin, ei brawd hŷn. "Bydd y pwcaod yn gofalu amdanon ni."

Ddwedodd Alys 'run gair. Roedd hi'n weddol siŵr nad oedd 'na'r fath beth yn bod â phwcaod, sef y tylwyth teg oedd yn byw yn y pwll ac yn curo'r waliau i rybuddio'r mwynwyr rhag perygl, neu i ddangos ble oedd y copr gorau. Ond os *oedden* nhw'n real, dylen nhw feddwl am rywbeth gwell i'w wneud na chripian dan ddaear a sbio ar bobl gyffredin.

Drwy lwc, gan mai dim ond deg oed oedd Alys, roedd hi'n rhy ifanc i weithio yn y pwll. Ond, ymhen ychydig flynyddoedd, byddai'n rhaid iddi fynd yno. Roedd Gethin yn dair ar ddeg oed, ac yn mynd i mewn i'r twnelau bron bob dydd rŵan. Yn dawel bach, roedd Alys yn gobeithio y byddai'r copr yn y pwll yn dod i ben, a'i rhieni gorfod mynd i chwilio am waith arall.

Un noson, gwyliodd Alys ei brawd yn llenwi basged â bara a theisennau.

"Bwyd i'r pwcaod," esboniodd wrthi. "Tro ei teulu ni yw mynd â swper iddyn nhw."

Rholiodd Alys ei llygaid. Am hen arferiad gwirion! Bob dydd, roedd rhywun yn y dref yn gorfod mynd â basged o fwyd i'r pwcaod.

"Nid y pwcaod sy'n bwyta'r bwyd," meddai Alys. "Y llygod mawr sy'n gwneud."

Ochneidiodd Gethin a dal ati i roi teisennau yn y fasged.

Yna cafodd Alys syniad. "Ga i fynd â'r bwyd?" gofynnodd.

"Ti?" Syllodd Gethin arni'n syn. "Ond mae gen ti ofn mynd i mewn i'r pwll."

"A' i ddim yn bell i mewn," meddai Alys, a'i llais yn crynu wrth feddwl am fod mor fentrus. "Bydda i'n dechrau gweithio yno ymhen blwyddyn neu ddwy. Rhaid i fi ddod yn gyfarwydd â'r lle, yn does?"

Roedd hi'n gwybod bod Gethin wedi blino ar ôl gweithio yn y pwll drwy'r dydd. Cipiodd y fasged o'r bwrdd. "Fydda i ddim yn hir," meddai, a rhedeg o'r tŷ cyn i Gethin fedru dweud gair.

Ar ôl mynd o'i olwg, arafodd Alys yn syth. Cerddodd i gyfeiriad y pwll, ond aeth hi ddim i mewn. Doedd hi ddim yn bwriadu rhoi'r un droed yn yr hen dwnelau cas. Arhosodd y tu allan, a gwagio cynnwys y fasged ar y glaswellt tal ar ymyl y llwybr.

Dyna ni! meddyliodd wrth wylio'r teisennau'n rholio i lawr y llethr.

Doedd y pwcaod ddim yn real, a rŵan medrai brofi hynny. Fory, pan fyddai pawb yn cloddio 'run faint o gopr ag arfer, byddai'n dweud wrth Gethin beth oedd hi wedi'i wneud, a byddai'n rhaid iddo gytuno mai hi oedd yn iawn.

Drannoeth, aeth pawb i'r gwaith fel arfer. Arhosodd Alys yn y tŷ a giglan wrthi'i hun.

Daeth Gethin a Dad adre'n gynnar y noson honno. Roedd y ddau'n fudr a blinedig.

"Chawson ni ddim copr o gwbl," meddai Dad. "Na neb arall chwaith. Buon ni'n gweithio drwy'r dydd heb ffeindio hyd yn oed un darn bach."

Gwrandawodd Alys yn llawn cywilydd. Smalio oedden nhw, mae'n rhaid, ac eto roedd golwg ddifrifol iawn ar wynebau'r ddau. Fel arfer, ar ôl swper byddai'r teulu'n chwerthin a chwarae gemau, ond y noson honno aeth pawb i'r gwely'n gynnar.

Gorweddodd Alys yn y tywyllwch, a gofidio. Doedd neb wedi dod o hyd i gopr y diwrnod hwnnw, ond nid arni hi oedd y bai. Roedd hynny'n amhosib. Doedd y pwcaod ddim yn real. Anlwcus oedd y mwynwyr, dyna i gyd. Fory bydden nhw'n darganfod gwythïen arall o gopr a byddai popeth yn iawn.

Ond nos drannoeth, daeth y mwynwyr adre'n waglaw unwaith eto. Roedd fel petai'r copr i gyd wedi diflannu'n sydyn o'r bryniau.

"Fy mai i ydy o," meddai Gethin. "Rhaid bod rhywbeth o'r le ar y bwyd adewais i i'r pwcaod. Mi wnest ti ei roi i mewn i'r pwll, yn do, Alys?"

Nodiodd Alys. Roedd arni ofn dweud y gwir. Doedd ganddi ddim awydd bwyta. Drwy'i bywyd, roedd hi wedi gobeithio y byddai'r copr yn y pwll yn dod i ben cyn iddi orfod mynd i weithio yno, ond rŵan roedd hi'n gweld y pryder yn llygaid ei rhieni. Roedden nhw'n ennill bywoliaeth dda yn y pwll, meddyliodd – ac nid Mam a Dad yn unig, ond pob teulu arall yn y dref. Pe bai'r copr yn dod i ben, beth wnâi pawb?

Y noson honno, roedd hi'n meddwl na chysgai hi byth, ond rhaid ei bod wedi cwympo i gysgu rywbryd neu'i gilydd, achos deffrodd yn sydyn. Edrychodd draw at wely Gethin, a gweld ei fod yn wag.

Neidiodd Alys o'i gwely a rhedeg i lawr i'r gegin. Doedd Gethin ddim yno – ond gwelodd ddarn o bapur yn gorwedd dan gwpan ar y bwrdd.

Wedi mynd i chwilio am y pwcaod.

Suddodd Alys i gadair, gan deimlo'n boeth ac yn oer am yn ail. Hi oedd yn gyfrifol am hyn, ond roedd Gethin yn meddwl mai fo oedd ar fai. Meddyliodd am dwnelau tywyll y pwll – bydden nhw'n dywyllach fyth yn y nos – a dechreuodd grynu. Gwasgodd ei dyrnau a chodi ar ei thraed. Er ei bod yn dal i grynu, dododd dorth o fara ac un o deisennau ffrwythau Mam mewn basged a rhedeg o'r tŷ.

Roedd y lleuad yn llawn, a'i golau arian yn llifo drwy'r cwm. Doedd dim sôn am Gethin o gwbl. Rhedodd Alys ar hyd y llwybr i'r pwll. Chwibanai'r gwynt rhwng y brigau a'r glaswellt tal lle roedd hi wedi gollwng bwyd y pwcaod.

"Mae'n ddrwg gen i," sibrydodd Alys.

Yr unig ateb gafodd hi oedd hwtian tylluan yn y pellter.

Cyrhaeddodd Alys y pwll ac aros o flaen ceg y prif dwnnel. "Gethin?" galwodd. "Gethin, ble wyt ti?"

Daeth eco ei llais yn ôl ati. *Gethin? Gethin?*

Arhosodd Alys am un eiliad arall cyn cynnau cannwyll a chamu i mewn i'r twnnel.

Ar unwaith teimlai'r awyr yn oerach, ac roedd Alys yn cael trafferth i anadlu. "Helô?" galwodd. Crynai'r gannwyll yn ei llaw. "Gethin?" Arhosodd eto. "Pwcaod, ydych chi'n fy nghlywed i? Mae'n ddrwg gen i. Fi daflodd eich bwyd. Dwi wedi dod â 'chwaneg. Os medrwch i 'nghlywed i, wnewch chi fy helpu i chwilio am fy mrawd?"

Doedd hi ddim yn disgwyl i'r pwcaod ateb, a wnaethon nhw ddim. Os oedd hi am ddod o hyd i Gethin, byddai'n rhaid iddi wneud hynny ar ei phen ei hun. Roedd arni gymaint o ofn, roedd ei choesau'n stiff a bron yn methu symud, ond llwyddodd i gymryd un cam, ac yna un arall. Roedd y cam nesaf ychydig yn haws. Crymodd Alys ei chefn a chripian drwy dwnnel isel. Doedd hi erioed wedi mentro mor bell o'r blaen. Fedrai hi ddim credu ei bod yn gwneud y fath beth . . .

Yna diffoddodd ei channwyll.

Safodd Alys fel delw yn y tywyllwch dudew, ei basged mewn un llaw, y gannwyll ddi-werth yn y llaw arall, a'i chefn wedi'i wasgu'n dynn yn erbyn y graig oer. Roedd hi'n teimlo fel petai'r twnnel yn cau o'i chwmpas, yn bygwth ei gwasgu'n ddim. Llyncodd gegaid o awyr.

Ac yna, drwy sŵn ei hanadlu gwyllt, clywodd ryw guro ysgafn ymhellach i lawr y twnnel.

"Gethin?" galwodd Alys.

Tap . . . crafu . . . tap . . . crafu . . .

Rywsut, llwyddodd Alys i symud ei breichiau a'i choesau. Gwthiodd y gannwyll i'w phoced a chripian ar hyd y twnnel, gan gydio yn y wal wrth fynd.

Roedd y curo fel petai'n dod o dwnnel arall ger-llaw. Ar ôl aros a gwrando, mentrodd Alys i mewn i'r twnnel hwnnw. Sblasiodd drwy bwll dŵr a chlywed llygoden fawr yn gwichian. Arhosodd, a gorfodi'i hun i dynnu sawl anadl grynedig, yna ymlaen â hi eto.

Tap . . . tap . . . tap . . .

Twnnel arall. Roedd y nenfwd ychydig yn uwch fan hyn. Oedd y Pwca yno, neu hi oedd yn dychmygu?

Ac yna, gwelodd lygedyn bach gwan, gwan o olau cannwyll – mor wan, roedd hi'n meddwl mai dychmygu oedd hi.

"Gethin!" gwaeddodd.

Ar ôl eiliad fer, atebodd llais. "Alys!"

Anghofiodd Alys fod ofn arni. Gollyngodd ei basged a rhedeg i gyfeiriad y golau.

Yn sydyn roedd hi wedi gadael y twnnel ac yn sefyll mewn ogof fawr. Yng nghanol yr ogof, eisteddai Gethin.

"Dwi wedi syrthio a throi fy migwrn," meddai. "Ro'n i'n ofni na fyddai neb yn dod o hyd i fi."

Rhedodd Alys ato. "Y pwcaod sy wedi fy arwain i atat ti," meddai, gan wenu yn y tywyllwch. Roedd y twnelau'n teimlo'n gyfeillgar rŵan, bron fel petai'r pwcaod yn ei gwahodd i mewn. Cyneuodd ei channwyll o fflam cannwyll Gethin a helpu'i brawd i godi ar ei draed. "Adre â ni."

Yn sydyn, clywson nhw guro uchel uwch eu pennau. Edrychon nhw i fyny a gweld gwythïen yn disgleirio yn y graig. "Copr!" llefodd y ddau.

Oedd y pwcaod wedi ei harwain hi a'i brawd at y copr, neu hi oedd wedi dychmygu'r fath beth? Erbyn bore trannoeth oedd Alys ddim yn siŵr. Ond, o hynny ymlaen, bob tro roedd hi'n mynd i mewn i'r pwll, roedd hi'n sibrwd "Diolch yn fawr" ac yn gadael torth o fara neu deisen ar lawr – rhag ofn.

Y Wlad o
Dan y Dŵr

Heddiw, os ei di i lannau Bae Ceredigion, fe weli di ddyfroedd glas Môr Iwerddon. Ond unwaith, yn ôl yr hanes, nid môr oedd yno ond caeau gwyrdd.

Dyma un o'r nifer o storïau sy'n egluro beth ddigwyddodd.

Amser maith, maith yn ôl, yng ngogledd-orllewin Cymru, roedd gwlad o'r enw Cantre'r Gwaelod, sef "y wlad ar y gwaelod". Ac, yn wir, roedd y wlad hon yn is nag unrhyw ddarn arall o dir drwy Gymru gyfan. Roedd yn lle hardd, a chan ei fod mor wastad a chysgodol, hwn oedd y lle gorau yng Nghymru i dyfu cnydau. Roedd pobl Cantre'r Gwaelod yn tyfu gwenith a barlys, ac yn gofalu am berllannau'n llawn afalau, eirin a gellyg. Drwy werthu eu cynnyrch ar draws Cymru, daethon nhw'n gyfoethog iawn. Doedden nhw'n poeni dim am y môr oedd mor agos ac mor anferth. Doedd y môr erioed wedi bygwth y tir yn y gorffennol, medden nhw, felly pam byddai'n dechrau nawr?

Ac wedi'r cyfan, roedd ganddyn nhw wal.

Safai'r wal fel cawr rhwng y tir a'r môr, gan ymestyn yr holl ffordd o Ynys Enlli yn y gogledd i dref Aberteifi yn y de. Yn ei man uchaf roedd hi'n cyrraedd deg metr, ac roedd hi'n ddau fetr o drwch. Hanner ffordd ar hyd-ddi, roedd pâr o gatiau fyddai'n cael eu hagor ar lanw isel er mwyn i'r cychod pysgota fynd i mewn ac allan, ond pan oedd y gatiau ar gau, doedd dim byd – dim un diferyn o ddŵr – yn dod drwyddyn nhw.

I wneud yn hollol siŵr bod y wal yn ddiogel, roedd ceidwad yn gofalu amdani. Fe oedd y person pwysicaf yn y deyrnas, ar wahân i'r brenin. Gwaith y ceidwad oedd agor a chau'r gatiau enfawr ar yr amser cywir bob dydd. Roedd e hefyd yn marchogaeth o gwmpas y wal a gofalu bod pob carreg yn gadarn. A phetai'r môr yn dod dros y wal, gwaith y ceidwad oedd rhedeg i'r clochdy i ganu'r clychau a rhybuddio pawb i ddianc. Ond doedd yr un ceidwad erioed wedi gorfod gwneud hynny, a siawns na fyddai neb byth. Roedd y wal, a'r wlad y tu ôl iddi, yn berffaith ddiogel.

Enw'r ceidwad yr adeg hon oedd Seithennin. Roedd wedi cael y swydd am ei fod yn ffrind i'r brenin, ond dyw hynny ddim yn rheswm da dros gynnig swydd i unrhyw un, fel y profwyd yn ddiweddarach. Roedd Seithennin wrth ei fodd yn gweld pobl yn plygu o'i flaen a'i alw'n geidwad y wal, ac roedd e'n hoffi cael ei dalu mewn aur bob mis. Ond doedd e ddim mor hoff o farchogaeth ar hyd y wal yn chwilio am graciau oedd ddim yn bodoli. Ac am y gatiau, trueni eu bod yno o gwbl. Roedd eu hagor a'u cau bob dydd yn waith trwm a blinedig.

Cyn hir, dechreuodd Seithennin adael i'w brentis, Gwilym, fynd i archwilio'r wal yn ei le. Byddai wedi gadael i Gwilym ofalu am y gatiau hefyd, ond dim ond pedair ar ddeg oed oedd y bachgen, a chan ei fod yn rhy fach i droi'r olwyn oedd yn eu hagor a'u cau, roedd yn rhaid i Seithennin wneud hynny ei hun. Roedd e'n cwyno am y peth bob dydd.

Doedd dim ots gan Gwilym bod ei feistr yn cwyno. Roedd e'n falch iawn o fod yn brentis i geidwad y wal. Ei gyfrifoldeb oedd cadw pawb yn ddiogel, ac roedd e'n cymryd ei waith o ddifri. Fwy nag unwaith, gofynnodd i Seithennin ddod i edrych ar grac yn y wal. Dim ond darn o wymon, neu grafiad ar garreg oedd y craciau fel arfer, ond ta waeth am hynny.

"Mae'n well bod yn ddiogel na difaru," meddai Gwilym.

"Rydyn ni'n berffaith ddiogel yn barod," sniffiodd Seithennin. "Mae'r wal yma ers can mlynedd, a dyw'r môr erioed wedi torri drwyddi. Pam fyddai e'n gwneud hynny nawr?"

Cochodd Gwilym. Roedd e'n gwybod ei fod yn poeni gormod, ond allai e ddim anghofio am y môr oedd yn rhuo yr ochr draw i'r wal. Dim ond un twll bach, dim ond un camgymeriad oedd ei angen, a byddai'r dŵr i gyd yn llifo i mewn.

Ond wnaeth y môr ddim llifo i mewn. Chwythodd stormydd y gaeaf, a safodd y wal yn gadarn. Wrth i'r dyddiau gynhesu, dechreuodd Gwilym ymlacio ychydig. Roedd Seithennin yn iawn. Roedd y wal wedi sefyll am ganrif, a doedd hi ddim yn mynd i chwalu heb reswm.

Daeth y gwanwyn, a threfnodd y brenin wledd fawr yn y plas i ddathlu. Cafodd cannoedd o bobl eu gwahodd, gan gynnwys Seithennin, wrth gwrs. Ond chafodd Gwilym ddim gwahoddiad.

"Dwi ddim yn deall pam wyt ti'n pwdu," meddai Seithennin wrtho. "Alli di ddim disgwyl i'r brenin wahodd rhyw dipyn o brentis fel ti i'r wledd."

Doedd Gwilym ddim yn pwdu. Doedd e ddim yn hoffi partïon ac roedd yn edrych ymlaen at gael noson dawel gartref heb Seithennin i'w blagio. Ond roedd Seithennin mewn tymer ddrwg ac yn benderfynol o weld bai. "Beth am y gatiau?" gofynnodd Gwilym iddo. "Pwy sy'n mynd i'w cau nhw os wyt ti yn y plas?"

Rhewodd wyneb Seithennin a sylweddolodd Gwilym fod ei feistr wedi anghofio'n llwyr am y gatiau. "Bydda i'n eu cau cyn mynd i'r plas, wrth gwrs," meddai'n swta. "Nawr cer o 'ma a gad lonydd i fi."

Roedd Gwilym yn falch o fynd o'i ffordd.

Y noson honno, chwythodd gwynt oer o'r môr. Teimlodd Gwilym ias y gwynt, a chrynu. Oedd Seithennin wedi cofio cau'r gatiau? Oedd, mae'n siŵr. Fyddai e byth yn anghofio gweud rhywbeth mor bwysig.

"Mae'n well bod yn ddiogel na difaru," mwmianodd Gwilym wrtho'i hun. Cyfrwyodd ei geffyl ac i ffwrdd ag e at y wal.

Wrth nesáu at y gatiau, clywodd sŵn rhyfedd. Beth oedd e? Doedd e erioed wedi clywed y fath sŵn o'r blaen. Ac yna deallodd, a bron iawn i'w galon stopio.

Dŵr. Sŵn dŵr oedd e. Sŵn dŵr yn llifo, yn byrlymu, yn arllwys.

Marchogodd Gwilym ar garlam. Cyn gynted ag y gwelodd y gatiau, dyfalodd beth oedd wedi digwydd. Yn ei frys i fynd i'r wledd, doedd Seithennin ddim wedi eu cau'n iawn. Pe bai'r llanw'n isel a stribed o draeth rhwng y môr a'r wal, fyddai 'na ddim perygl. Ond nawr roedd y llanw'n uchel iawn, a'r tonnau gwyllt, wrth guro yn erbyn y gatiau, yn eu gwthio'n agored yn ara' bach.

Neidiodd Gwilym oddi ar ei geffyl a rhedeg at yr olwyn oedd yn rheoli'r gatiau. Dechreuodd droi a throi nes bod smotiau'n dawnsio o flaen ei lygaid, ond doedd yr olwyn ddim yn symud modfedd. Doedd e erioed wedi gallu'i throi pan oedd y llanw'n isel, a nawr, a'r môr yn gwthio yn ei erbyn, roedd yn amhosib.

Neidiodd Gwilym yn ôl ar gefn ei geffyl. Rhaid iddo rybuddio pawb! Marchogodd yn ôl i'r dref cyn gynted ag y gallai. Trodd pobl mewn syndod, a'i wylio'n llithro o'r cyfrwy ac yn rhedeg i fyny grisiau'r clochdy, ddau ris ar y tro. Tynnodd Gwilym ar y rhaff.

Doedd neb wedi defnyddio'r gloch o'r blaen. Symudodd yn araf i ddechrau, ac yna dechrau canu'n wyllt.

Dong! Dong! Dong!

"Mae'r môr yn dod!" gwaeddodd Gwilym. "Rhedwch, bawb! Mae'r môr yn dod!"

Chwarddodd rhai o'r bobl arno gan feddwl ei fod yn tynnu coes. Sgrechiodd eraill a dianc mewn panig. Rhedodd Gwilym i lawr o'r twr ac ymwthio drwy'r dorf. Rhaid iddo gael gafael ar Seithennin. Y plas amdani!

Marchogodd drwy'r strydoedd at ddrysau'r plas. Safai dau warchodwr o'i flaen.

"Ble mae Seithennin?" llefodd Gwilym. "Mae'r môr yn torri drwodd!"

Syllodd y gwarchodwyr arno'n syn a chwerthin.

"Ti yw prentis Seithennin, ontefe?" meddai un. "Mae dy feistr yn y wledd gyda phawb arall. Cer i mewn os wyt ti eisiau, ond os cei di glusten paid â rhoi'r bai arnon ni."

Ymwthiodd Gwilym rhyngddyn nhw a rhedeg i mewn.

Roedd y swn yn fyddarol. Roedd y neuadd yn llawn o bobl yn bwyta ac yfed, yn chwerthin a siarad. Yn un gornel roedd cerddorion yn chwarae eu hofferynnau, a gweision yn gwau drwy'r dorf yn cario hambyrddau. Chymerodd neb sylw o Gwilym yn sefyll yno â'i wynt yn ei ddwrn.

Cydiodd Gwilym ym mraich un o'r morynion.

"Mae'r môr yn dod i mewn!" gwaeddodd.

Dechreuodd y ferch chwerthin, nes sylweddoli ei fod o ddifri. Agorodd ei llygaid led y pen. Gollyngodd ei hambwrdd a mynd o gwmpas y neuadd gan ysgwyd hwn a'r llall.

Roedd Seithennin yn eistedd wrth fwrdd â'i ben yn ei freichiau. Rhedodd Gwilym ato a'i ysgwyd.

"Yyyceriffwrf," mwmianodd Seithennin, a'i wthio i ffwrdd.

"Mae'r môr yn dod i mewn!" gwaeddodd Gwilym yn daer. Gwthiodd Seithennin e eto a phwyso'i ben yn ôl ar ei freichiau.

Plyciodd rhywun grys Gwilym. Y forwyn oedd yno. "Rydyn ni wedi'u rhybuddio nhw," gwaeddodd. "Nawr rhaid i ni redeg!"

Roedd rhai o'r bobl yn y neuadd wedi sylweddoli bod rhywbeth mawr o'i le ac yn symud yn sigledig at y drws. Stopiodd y cerddorion chwarae, ac wrth i'r miwsig ddistewi clywodd Gwilym ru yn y pellter, yn tyfu'n uwch ac yn uwch. Taflodd un cipolwg olaf ar neuadd y brenin, cyn gadael i'r ferch ei lusgo drwy'r drws i'r iard.

Roedd y gwarchodwyr eisoes wedi dianc, gan adael ceffyl Gwilym o flaen gatiau'r plas. Roedd y stryd y tu allan i'r plas yn llawn o bobl yn dianc. Yn y pellter, gwelodd Gwilym linell ddu ag ymyl o ewyn gwyn.

Dringodd ar ei geffyl, ac estyn ei law i'r forwyn. Dringodd hithau ar y cyfrwy y tu ôl iddo a marchog-odd y ddau i ffwrdd. Marchogaeth drwy'r strydoedd, i ffwrdd o'r plas ac yn ddigon pell o fwrlwm y tonnau gwyllt. Marchogaeth yn ddi-stop nes cyrraedd y bry-niau uwchben Cantre'r Gwaelod.

Llithrodd Gwilym o'r cyfrwy a disgyn ar y glas-wellt. Eisteddodd y ferch yn ei ymyl. Heb ddweud gair, gwylion nhw'r môr yn llifo dros y wlad werdd, nes ei llyncu'n grwn.

Hyd heddiw, medden nhw, os ewch chi i Fae Ceredigion pan fydd y llanw'n isel, fe welwch foncy-ffion coed yn codi o'r tywod ar lan y môr. Ac weithiau, pan fydd y gwynt yn chwythu o'r môr, fe glywch ganu croch y gloch larwm, wrth i'r tonnau ei siglo.

Y Tri Llo

Mae 'na lawer o chwedlau sy'n sôn am dri brawd yn cystadlu am wobr, a'r brawd ieuengaf yn ennill. Fel arfer, mae'r storïau hyn yn sôn am ryw siwrnai ryfedd a hud a lledrith. Ond stori am fywyd bob dydd yw hon wedi ei lleoli, gan mwyaf, ar fferm. Dwi'n hoffi'r stori achos mae'r diweddglo'n hapus, ac mae hi'n dangos rhywun yn ennill drwy fod yn glyfar. Dwi'n teimlo trueni dros y lloi, serch hynny.

*U*nwaith roedd dau ffermwr yn byw yn yr un cwm yng Nghymru. Roedd gan y ffermwr cyntaf dri mab o'r enw Tom, Dai a Siôn, ac roedd gan y ffermwr arall un ferch. Ei henw hi oedd Gwenllian, ac roedd hi tua'r un oed â Siôn. Roedd y ddau eisiau priodi, ond doedden nhw ddim wedi dweud wrth neb hyd yn hyn. Siôn oedd yr ieuengaf o'r tri brawd. Fo oedd yn gwneud y rhan fwyaf o'r gwaith ar fferm y teulu, ond doedd o ddim yn cael yr un geiniog o gyflog, felly roedd hi'n anodd cynilo ar gyfer priodas. Yn lle hynny, roedd Siôn a Gwenllian yn cyfarfod yn y dirgel, pryd bynnag y medren nhw.

Aeth hyn ymlaen am fisoedd nes, un diwrnod, gwelodd Tom ei frawd yn sleifio o'r fferm.

Ble mae o'n mynd, tybed? meddyliodd Tom, a'i ddilyn.

Roedd Tom yn hoffi meddwl ei fod o'n glyfrach na phawb arall. Felly, fel y medri di ddychmygu, roedd o'i go pan welodd o Gwenllian yn aros am Siôn, a sylweddoli bod y ddau wedi bod yn gweld ei gilydd ers misoedd heb i neb sylwi. Swatiodd y tu ôl i lwyn a gwrando arnyn nhw'n cwyno ac ochneidio am eu bod yn methu fforddio priodi.

Felly mae Siôn eisiau priodi Gwenllian, meddyliodd Tom. *Hmmm, mi fedr dau chwarae'r gêm hon.*

Brysiodd adre a rhuthro i mewn i'r gegin, lle roedd ei rieni a Dai yn eistedd. "Dwi wedi penderfynu," meddai. "Dwi am briodi Gwenllian."

Gwgodd Dai pan glywodd y newyddion. Roedd Dai yn ddiog – yn rhy ddiog i feddwl drosto'i hun gan amlaf – felly, roedd o byth a hefyd yn gwneud beth bynnag roedd Tom yn ei wneud.

"Na," meddai. "*Fi* sy eisiau priodi Gwenllian. Dwi wedi bod mewn cariad efo hi ers misoedd."

"Wel, dwi wedi wedi bod mewn cariad efo hi ers blynyddoedd," meddai Tom. "Dwi'n mynd i ofyn iddi 'mhriodi i'n syth bìn."

"A fi," mynnodd Dai, a neidio ar ei draed. I ffwrdd â'r ddau ar draws y caeau, gan wthio a chwffio'i gilydd yr holl ffordd.

Tra oedden nhw'n dal ar eu taith, daeth Siôn adre. Dychrynodd pan ddwedodd ei rieni beth oedd wedi digwydd, ac i ffwrdd â fo i dŷ Gwenllian ar ras.

Cyrhaeddodd Tom a Dai y tŷ gyda'i gilydd, a churodd y ddau ar y drws.

"Syr," meddai Tom, pan agorodd tad Gwenllian y drws. "Dwi am briodi dy ferch."

"Nac ydi wir, dydy o ddim," meddai Dai. "*Fi* sy am ei phriodi hi."

Edrychodd tad Gwenllian ar y ddau a chrafu'i ben yn syn. "Gwell i chi ddod i mewn."

Aeth â nhw i barlwr y ffermdy – y stafell orau, lle roedden nhw'n croesawu ymwelwyr arbennig. Cyrhaeddodd Gwenllian ychydig funudau'n ddiweddarach, yn ffwndrus ac allan o wynt. Newydd gyrraedd adre ar ôl cyfarfod yn ddirgel â Siôn oedd hi, mwy na thebyg, meddyliodd Tom gan wenu'n slei.

Eisteddodd tad Gwenllian i lawr. "Felly, rydych chi'ch dau eisiau priodi fy merch. Wrth gwrs, fedr hi ddim priodi'r ddau ohonoch chi."

"Dwi ddim eisiau priodi'r un ohonyn nhw," sibrydodd Gwenllian, ond chymerodd ei thad 'run sylw.

"Bydd y dyn sy'n priodi Gwenllian yn etifeddu'r fferm hon pan fydda i farw," meddai. "Felly, mae'n bwysig eich bod yn medru gofalu am y fferm yn ogystal â chynnal Gwenllian a'i gwneud hi'n hapus."

"Dwi'n addo gwneud hynny i gyd," meddai Tom.

"A finnau!" meddai Dai.

Yr eiliad honno, curodd rhywun yn galed ar y drws a rhedodd Siôn i mewn, ei wyneb yn goch ac yn diferu o chwys. Roedd tyllau yn ei grys ar ôl rhedeg drwy lwyn o fieri, roedd dail yn ei wallt, a rhywbeth go debyg i faw defaid yn glynu wrth ei ben-glin chwith.

"Stop!" llefodd. "*Dwi* eisiau priodi Gwenllian."

Trodd pawb i syllu arno.

"Ti?" wfftiodd ei frodyr.

"Ti?" meddai tad Gwenllian yn syn.

"Ti!" gwaeddodd Gwenllian, a'i hwyneb yn goleuo. "Dad, dwi'n caru Siôn. Fo ydy'r un dwi am ei briodi."

Cododd ei thad ei law i'w thawelu. "Aros di. Dwyt ti ddim yn nabod Siôn yn dda, felly sut wyt ti'n gwybod dy fod ti am ei briodi? Ac edrych ar ei gyflwr o!"

Cochodd Gwenllian. Pe bai hi'n cyfaddef ei bod wedi cyfarfod yn ddirgel â Siôn, byddai 'na helynt mawr. Doedd ei thad ddim yn hoffi cyfarfodydd dirgel.

"Mae priodi'n fater difrifol iawn," meddai'i thad. "Mae'n bwysig dy fod yn cael gŵr sy'n barod i weithio'n galed a gofalu am y ffermydd. Rhywun sy'n gwybod sut i wneud elw."

"Rhywun sy'n fodlon baeddu'i ddwylo," meddai Gwenllian, gan edrych yn awgrymog ar ddwylo budr Siôn.

Gwgodd ei thad. "Mae gen i syniad. Dewch allan, bawb."

Aeth â nhw i'r beudy, lle roedd y gwartheg yn sefyll yn ymyl eu lloi. Dewisodd dri llo brown oedd yn edrych bron yn union yr un fath. "Cafodd y tri yma eu geni ar yr un diwrnod," meddai. "Ewch ag un llo yr un a gofalu amdano. Ar ddiwedd yr haf, ewch â'ch llo i'r ffair i'w werthu. Yr un gaiff y pris uchaf fydd yn priodi Gwenllian."

Cipiodd Tom a Dai ddau o'r lloi ar unwaith. Roedd y trydydd fymryn yn llai, er doedd dim llawer o wahaniaeth rhyngddyn nhw chwaith. Gan wenu'n gyflym ar Gwenllian, aeth Siôn â'i lo o'r sied a throi tuag adre.

Cyn hir roedd Dai, y brawd diog, wedi anghofio'n llwyr am ei lo, ac un diwrnod dihangodd o'r cae a rhedeg i ffwrdd. Gofalodd Tom yn dda am ei lo, ond wrth i'r wythnosau fynd heibio sylwodd fod llo Siôn yn dewach fyth, ac yn edrych yn fwy iach. Wrth i ddiwrnod y ffair nesáu, roedd Tom mewn tymer ddrwg ac yn gasach nag erioed wrth Siôn.

Un noson, dwedodd Tom ei fod yn mynd allan am dro. Fore trannoeth, aeth Siôn i chwilio am ei lo a'i ddarganfod ar lawr y beudy, yn farw gorn.

Rhewodd calon Siôn. Disgynnodd ar ei liniau yn ymyl y llo a gweld ychydig o aeron du ar y llawr – aeron o'r goeden ywen. Roedd yr ywen yn wenwynig iawn i wartheg.

Safai Tom y tu allan i'r beudy, yn wên o glust i glust. "Hen dro!" meddai, pan ddaeth Siôn allan. "Dylét ti fod wedi cymryd gwell gofal o dy lo."

Tom wnaeth hyn, meddyliodd Siôn. Roedd Tom wedi gwenwyno'r llo. Ond fedrai Siôn ddim profi hynny. Beth fedrai o wneud?

Yn drist iawn, aeth Siôn yn ôl i'r beudy a syllu ar gorff llonydd ei lo. Yna cafodd syniad . . .

Daeth diwrnod y ffair. Roedd llo Tom wedi tyfu'n fuwch ifanc hardd, ac fel roedd o'n disgwyl cafodd bris da amdani yn yr ocsiwn. Ond doedd hynny ddim o bwys. Roedd llo Dai wedi rhedeg i ffwrdd, a llo Siôn wedi cael damwain anffodus, felly roedd Tom wedi ennill beth bynnag. Doedd Dai a Siôn ddim hyd yn oed wedi trafferthu mynd i'r farchnad.

Wrth anelu am adre, crwydrodd Tom rhwng stondinau'r farchnad, gan ysgwyd ei bwrs llawn pres a gwenu wrtho'i hun. Mewn un man, bu raid iddo aros achos roedd dyn mewn clogyn carpiog, â chwcwll am ei ben, yn gwerthu careiau sgidiau. Roedd o'n chwerthin a thynnu coes pawb, ac wedi denu torf fawr tuag ato. *Am ddyn difeddwl*, meddyliodd Tom, gan wthio'r bobl o'i ffordd.

Cyn bo hir anghofiodd am y gwerthwr careiau. Roedd yn rhy brysur yn meddwl am briodi Gwenllian, a hefyd sut i ddelio gyda Dai a Siôn. Doedd o ddim eisiau i'r ddau fod yn loetran o gwmpas y fferm ar ôl iddo briodi – yn enwedig Siôn.

Y noson honno, brysiodd Tom ar draws y cwm i dŷ Gwenllian. Roedd tyrfa fawr wedi dod ynghyd yno i ddathlu diwedd y ffair. Dododd Tom ei bwrs ar y bwrdd o flaen tad Gwenllian. "Dyma'r pres," meddai. "Does dim rhaid i ti ei gyfri. Rhedodd llo Dai i ffwrdd ac mae llo Siôn wedi marw. Felly fi ydy'r unig un sy wedi ennill pres."

Llefodd Gwenllian mewn siom. "Ble mae Siôn?"

Cododd Tom ei ysgwyddau. "Roedd arno ormod o gywilydd i ddod yma, ac mae o wedi penderfynu nad ydy o ddim am dy briodi di beth bynnag. Ond paid â phoeni. Bydda i'n ŵr da i ti, ac mi ofala i am y ddwy fferm."

Tywalltodd tad Gwenllian y pres o bwrs Tom, a'i drefnu'n bentyrrau bach i'w gyfri. "Mi gyhoedda i'r briodas fory," meddai, gan anwybyddu wyneb trist Gwenllian. "Gwenllian, estyn gadair i Tom. Mae o'n aros i swper."

Ond cyn i Gwenllian symud, agorodd y drws yn sydyn a brasgamodd dyn i mewn, yn gwisgo clogyn carpiog a chwcwll am ei ben. Y gwerthwr careiau sgidiau o'r ffair oedd o. Beth oedd hwn yn ei wneud yn fan'ma?

"Ara' deg," meddai Tom. "Dwi ar fin dyweddïo."

"Dyna beth wyt ti'n feddwl," meddai'r gwerthwr careiau, gan dynnu'i gwcwll. Siôn oedd o.

"Ti!" chwyrnodd Tom.

"Ti?" meddai tad Gwenllian yn syn.

"Ti!" llefodd Gwenllian, a'i hwyneb yn goleuo.

"Rhag dy gywilydd di'n dod yma," meddai Tom, "ar ôl gadael i dy lo farw."

Syllodd Siôn arno am foment cyn troi at dad Gwenllian. "Do, bu farw'r llo," meddai. "Roedd rhywun wedi rhoi dail ywen yn y cafn bwyd. Pwy allai fod mor greulon, tybed?" Arhosodd am foment nes i fochau Tom ddechrau cochi. "Ond," ychwanegodd, "mi wnest ti'n herio ni'n tri i wneud cymaint o elw â phosib o'n lloi. Wnest ti ddim dweud sut. Felly blingais i fy llo i, a defnyddio'r lledr i wneud careiau sgidiau. Ac fel y gwelodd nifer ohonoch chi, mi werthais i'r careiau yn y farchnad heddiw am ddwy geiniog y pâr."

Plygodd sawl un i edrych ar y careiau newydd yn eu hesgidiau.

"Dwy geiniog y pâr?" wfftiodd Tom. "Wnest di ddim llawer o elw, felly!"

"Wel," meddai Siôn, "mae'n dibynnu faint o gareiau oedd gen i." Tynnodd glamp o fag o'i glogyn, a'i wagio ar y bwrdd o flaen tad Gwenllian.

Edrychodd tad Gwenllian ar y mynydd o geiniogau a gwenu. "Dyna'r syniad clyfraf welais i erioed," meddai. "Ac roeddet ti wedi gorfod gweithio'n galed iawn hefyd. Dyna'r union fath o ŵr dwi am i fy merch briodi. Beth wyt ti'n feddwl, Gwenllian?"

"Wrth gwrs 'mod i eisiau priodi Siôn," meddai Gwenllian a'i bochau'n binc. "Dyna be dwi wedi bod eisiau erioed."

Gadawodd Tom y tŷ mewn tymer, ac aeth Siôn i ymuno yn y dathliadau. Ychydig fisoedd yn ddiweddarach priodwyd Siôn a Gwenllian, a bu'r ddau fyw'n hapus am weddill eu bywyd.

Taliesin yn Achub y Dydd

Taliesin, os wyt ti'n cofio, oedd y bardd a'r storïwr gorau a fu erioed, ac roedd ganddo bwerau hud. Roedd y stori "Y Bachgen a Ofynnai Gwestiynau" yn rhoi hanes genedigaeth Taliesin. Mae'r stori hon yn digwydd dair blynedd ar ddeg yn ddiweddarach.

oedd y Tywysog Taliesin ddim yn hapus. Fe oedd y person clyfraf yn nheyrnas Ceredigion, yn gallu siarad saith deg a thair o ieithoedd, gan gynnwys iaith yr adar a'r anifeiliaid, ond be' dda oedd hynny os oedd ei rieni'n gwrthod gwrando arno?

"'Nhad," meddai. "Dwi o ddifri. Gwrandawa arna i. Os ei di i blas y Brenin Maelgwn y Nadolig hwn, bydd rhywbeth drwg yn digwydd i ti."

Ysgydwodd y Tywysog Elffin ei ben a chwerthin. "Dwi ddim yn mynd yno i ryfela. Mynd i barti ydw i. Bydd y Brenin Maelgwn yn brolio am ei gyfoeth, a bydd pawb yn esgus rhyfeddu. Byddwn ni'n bwyta ac yfed a chael hwyl, a bydda i'n ôl cyn y Flwyddyn Newydd. Beth all fynd o'i le?"

Doedd Taliesin ddim yn gwybod pam, ond roedd ganddo deimlad od yn ei stumog. "Wel, gad i fi ddod gyda ti," meddai.

Dododd Elffin ei ddwylo ar ysgwyddau Taliesin. "Fi gafodd y gwahoddiad, nid ti. Dwi am i ti aros fan hyn a helpu dy fam tra bydda i i ffwrdd."

Er ei fod e'n gwenu, roedd yn swnio'n ddiamynedd. Doedd dim iws dadlau, meddyliodd Taliesin. Falle bod y teimlad yn ei stumog yn anghywir am unwaith. Wedi'r cwbl, fel dwedodd ei dad, dim ond parti oedd hwn.

Safodd Taliesin a gwylio'i dad yn marchogaeth i ffwrdd. Yna aeth yn ôl i'r castell i aros am newyddion, gan obeithio na fyddai'n rhywbeth ofnadwy.

Yn y cyfamser, marchogodd y Tywysog Elffin tua'r gogledd i blas y Brenin Maelgwn â golwg ofidus ar ei wyneb. Roedd e'n caru ei fab mabwysiedig, ac roedd Taliesin wastad wedi dod â lwc iddo. Flynyddoedd yn ôl, roedd pobl yn galw'r Tywysog Elffin yn Elffin Anlwcus, am fod popeth yn ei fywyd yn mynd o chwith. Yna un diwrnod aeth i bysgota i'r llyn, a dod o hyd i fabi â gwallt euraid mewn basged yn arnofio ar wyneb y dŵr. O'r eiliad y daeth â'r babi hwnnw adre, roedd ei lwc wedi newid.

Gobeithiai na fyddai ei lwc yn troi eto. Ond sut gallai wrthod gwahoddiad y brenin? A beth bynnag, roedd wedi bod yn edrych ymlaen at y daith. Maelgwn oedd y brenin cyfoethocaf yng Nghymru ac roedd yn enwog am ei bartïon.

Pan ddaeth Elffin a'i weision i olwg castell Maelgwn, gallent glywed lleisiau'n canu'n llon ac roedd baneri lliwgar yn cyhwfan bob ochr i'r hewl oedd yn arwain at y porth.

Tra oedden nhw'n dod oddi ar eu ceffylau, daeth y Brenin Maelgwn ei hun i'w cyfarch. "Elffin!" gwaeddodd. "Tyrd i mewn. Mae'r parti ar fin dechrau."

Ymlaciodd Elffin a gwenu. Roedd Taliesin yn poeni'n ddiangen. Gadawodd i'w weision ddadbacio'i fagiau, a dilynodd y brenin drwy'r castell i'r neuadd fawr. Yno roedd cannoedd o bobl yn eistedd wrth y byrddau hir, yn bwyta ac yfed. Ar y waliau hongiai rhesi o dapestrïau yn dangos Maelgwn yn marchogaeth i ryfel ac yn lladd dreigiau. *Go brin bod Maelgwn erioed wedi gweld draig, heb sôn am ei ladd*, meddai Elffin wrtho'i hun.

"Beth wyt ti'n feddwl?" gwaeddodd Maelgwn, a'i lais yn boddi pob sŵn.

Edrychodd Elffin i fyny ar y canwyllyrau enfawr, a'r cwyr yn diferu o'u canhwyllau tew, a theimlodd bwl sydyn a rhyfedd o hiraeth am ei gastell tawel a'i deulu bach. Ond roedd Maelgwn eisoes yn ei gyfeirio at fwrdd, a chyn hir roedd Maelgwn wedi ymwthio rhwng dau dywysog arall, a doedd ganddo ddim amser i hiraethu o gwbl.

Aeth yr wythnos heibio yn fwrlwm o fwyta ac yfed, rasys ceffylau yn y dydd a gwledda fin nos. Erbyn y noson olaf, roedd cur pen gan Elffin ac roedd e'n edrych 'mlaen at fynd adre drannoeth.

Cododd y Brenin Maelgwn a churo ar y bwrdd i dynnu sylw pawb. "Dwi wedi trefnu digwyddiad arbennig iawn ar gyfer ein noson olaf," cyhoeddodd.

Ar y gair, seiniodd utgyrn a chwyrlïodd acrobatiaid din-dros-ben ar draws y llwyfan a osodwyd gan y gweision ym mhen blaen y neuadd.

"Arglwyddi a thywysogion!" bloeddiodd y Brenin Maelgwn. "Byddwch yn barod am y gystadleuaeth ganu orau erioed. Mae dau ddeg pump o feirdd, a ddewiswyd o bob rhan o Gymru, yn mynd i berfformio i chi – a chi'r gynulleidfa fydd yn dewis yr enillydd."

Gwaeddodd pawb hwrê. Gwaeddodd Elffin gyda nhw, er nad oedd ganddo awydd gwrando ar gymaint o feirdd. Byddai'n well o lawer ganddo fynd i'r gwely.

Camodd y bardd cyntaf ar y llwyfan. Roedd yn gwisgo dillad gwyn ac yn cario telyn oedd yn disgleirio fel arian.

Trueni nad yw Taliesin yma, meddyliodd Elffin, *fe fyddai wrth ei fodd*.

Aeth y gystadleuaeth yn ei blaen, gydag un bardd yn dilyn y llall – ac am wisgoedd! Gwisgai un bardd ffrog aur serennog a het oedd yn edrych fel crochan. Roedd y nesaf mewn du ac yn gwisgo esgidiau mor uchel nes ei fod yn edrych fel pe bai'n arnofio ar draws y llwyfan. Canodd un arall wrth eistedd ar gefn ceffyl, ac roedd un arall yn siglo o'r nenfwd ar raff. Gwyliodd Elffin mewn llesmair, a'r canu a'r bonllefau croch yn trybowndio yn ei glustiau.

Brasgamodd Maelgwn tuag ato. "Beth wyt ti'n feddwl?" gwaeddodd, a churo cefn Elffin.

Fel arfer, byddai Elffin wedi dweud mai dyna'r beirdd gorau glywodd e erioed yn ei fywyd, achos does neb yn beirniadu sioe'r brenin, yn enwedig adeg y Nadolig ac o flaen pawb. Ond roedd pen Elffin yn troi; roedd wedi blino'n lân ar ôl wythnos o bartïon di-baid, ac yn hiraethu am ei gartref. Daeth y geiriau o'i geg cyn i'w ymennydd dryslyd sylweddoli beth yn union roedd e'n ddweud.

"Eitha' da," meddai. "Ond mae Taliesin, fy mab, yn well na'r beirdd hyn i gyd gyda'i gilydd."

Yn anffodus, roedd y bardd ar y llwyfan newydd orffen ei gân, ac atseiniodd llais Elffin drwy'r neuadd dawel.

Trodd pawb i syllu arno a chiliodd ei gymdogion o'i ffordd yn nerfus.

Gwgodd y brenin Maelgwn. "Felly rwyt ti'n meddwl bod fy sioe i'n ddiflas, wyt ti?" meddai. "Gawn ni weld sut byddi di'n hoffi'r dwnjwn sy gen i ar dy gyfer. Filwyr, carcharwch hwn yn y tŵr – a gofalwch glymu digon o gadwynau amdano."

Y noson honno, yng Ngheredigion, cododd Taliesin ar ei eistedd yn ei wely â bloedd o fraw. Roedd wedi gweld y cyfan, yn union fel petai yno ei hun – y beirdd,

Maelgwn yn taranu, a'r milwyr yn llusgo'r Tywysog Elffin i ffwrdd.

Rhedodd Taliesin i stafell ei fam. "Mam! Deffra! Mae Dad mewn helynt!"

"Cer yn ôl i'r gwely," meddai ei fam yn gysglyd. "Breuddwydio wnest ti."

Ond y bore wedyn marchogodd gweision Elffin drwy gatiau'r castell, a doedd Elffin ddim gyda nhw.

Roedd y castell cyfan mewn panig. Roedd Maelgwn yn enwog am ei bartïon, ond roedd hefyd yn enwog am ei dymer ddrwg. Weithiau byddai'n rhoi pobl yn y carchar a'u cadw yno am flynyddoedd.

Taliesin oedd yr unig un wnaeth ddim gwylltio. Roedd wedi disgwyl newyddion drwg, felly roedd yn barod amdano. Paciodd lond bag o ddillad. "Dwi'n mynd i blas y Brenin Maelgwn," meddai. "Dwi'n gwybod sut i achub Dad."

Edrychodd ei fam arno, a'i hwyneb yn llawn gofid. Gwyddai Taliesin beth oedd yn ei phoeni. Beth allai bachgen ei wneud yn erbyn brenin? Cydiodd Taliesin yn ei dwylo. "Dwi'n addo bod yn ofalus," meddai. "Dwi'n gwybod beth i'w wneud. Dwedais i y byddai rhywbeth drwg yn digwydd, yn do?"

O'r diwedd, caniataodd ei fam iddo fynd, ar yr amod ei fod yn mynd â gweision gydag e. "Cymer ofal," meddai. "Marchoga'n syth i'r plas, a phaid â siarad gyda dieithriaid ar y ffordd."

I ffwrdd â Taliesin. Pan gyrhaeddodd blas y Brenin Maelgwn, clywodd y gweision i gyd yn dweud hanes y Tywysog Elffin yn beirniadu beirdd y brenin. Roedd y beirdd o'u co', ac er mwyn eu tawelu roedd y brenin wedi trefnu iddyn nhw i gyd berfformio unwaith eto'r noson honno.

Ddwedodd Taliesin 'run gair. Arhosodd nes oedd y wledd ar fin dechrau, ac aeth i'r neuadd fawr. Sylwodd ar y llwyfan ym mhen draw'r neuadd a'r drws cilagored yn ei ymyl. *Bydd y beirdd yn dod drwy'r drws yna*, meddyliodd. Cerddodd rhwng y byrddau ac eistedd ar y llawr wrth y drws. Chymerodd neb sylw ohono.

Yn sydyn, agorodd y drws yn ymyl Taliesin â chlep, a swagrodd un o'r beirdd drwyddo. Gwisgai glogyn streipiog gwyrdd a phinc, ac roedd ei het mor llydan nes bod raid iddo gerdded drwy'r drws wysg ei ochr.

Curodd pawb eu dwylo – pawb ond Taliesin. Fflapiodd Taliesin ei fynegfys dros ei wefusau a gwneud sŵn tebyg i *Blerwm blerwm!*

Sgubodd y bardd yn ei flaen heb sylwi ar y bachgen oedd yn eistedd ar lawr. Dringodd y grisiau i'r llwyfan, taflu ei freichiau ar led ac agor ei geg led y pen i ganu.

Oedodd am eiliad. "*Blerwm blerwm*," meddai.

Stopiodd mewn penbleth, carthu'i wddw, a dechrau eto.

"*Blerwm blerwm.*"

"Be sy'n bod?" rhuodd Maelgwn. "Pam nad wyt ti'n canu?"

"*Blerwm blerwm,*" meddai'r bardd.

Ymwthiodd y bardd nesaf drwy'r drws. Roedd hwn yn gwisgo clogyn aur â phatrwm o sêr disglair arno.

"*Blerwm blerwm,*" sibrydodd Taliesin.

Neidiodd y bardd ar y llwyfan. "Dos o'r ffordd. Mi ddangosaf i ti sut i ganu," meddai. Yna crychodd ei wyneb yn syn. "*Blerwm blerwm.*"

Dechreuodd rhai o'r gynulleidfa chwerthin. Aeth wyneb Maelgwn yn goch. Doedd e ddim yn hoffi clywed pobl yn chwerthin am ei ben, sylwodd Taliesin.

"Taflwch y ddau glown yma oddi ar y llwyfan," meddai Maelgwn. "Galwch ar y beirdd eraill."

Rhuthrodd y beirdd eraill i mewn yn un haid. Wrth i bob un sgubo yn ei erbyn, fflapiodd Taliesin ei wefusau a gwneud yr un sŵn.

"*Blerwm blerwm,*" meddai'r beirdd i gyd.

"Beth yn y byd sy'n bod arnoch chi?" rhuodd Maelgwn. Carthodd y beirdd eu gyddfau, pesychu a garglio â dŵr, ond bob tro roedden nhw'n agor eu cegau i siarad, doedd dim byd ond *blerwm blerwm* yn dod allan.

Llewygodd un o'r beirdd mewn braw. Dyrnodd Maelgwn y bwrdd nes bod y llestri'n neidio.

"Wnaiff rhywun ddweud wrtha i be sy'n bod?"

Aeth pawb yn dawel. Cododd Taliesin o'i gornel. "Fe ddweda i wrthot ti," meddai. "Mae dy feirdd di'n rhy fawreddog. Maen nhw'n meddwl mai nhw yw'r gorau, ond dyw hynny ddim yn wir."

"*Blerwm blerwm*," gwaeddodd y beirdd mewn tymer.

"Dim ond hogyn wyt ti," meddai Maelgwn yn swta. "Pwy wyt ti'n feddwl wyt ti?"

"Ro'n i unwaith yn fabi a ollyngwyd i'r dŵr mewn basged," meddai Taliesin. Cymerodd un cam tuag at y llwyfan. "Ro'n i'n hedyn ŷd, ro'n i'n frân, ro'n i'n bysgodyn a sgwarnog." Dringodd y grisiau i'r llwyfan. "Fi oedd Gwion Bach oedd yn hoffi cwestiynau, a nawr Taliesin mab Elffin ydw i, a fi yw ei fardd hefyd."

Ac yna dechreuodd Taliesin ganu. Canodd am fachgen a gwrach. Canodd am frwydr hud ar draws tir, llyn ac awyr. Canodd am iâr yn pigo hedyn ŷd. Llifodd ei lais i bob cornel o'r neuadd fawr, a gwrandawodd pawb yn geg agored. Roedd y miwsig fel cân yr adar a phelydrau o heulwen. Weithiau roedd y nodau'n sgipio fel awel dros ddŵr, ac weithiau'n feddal, yn llawn gwres yr haf. Erbyn i'r nodyn olaf dawelu, roedd hanner y gynulleidfa yn eu dagrau – gan gynnwys y beirdd.

Stopiodd Taliesin ganu. "Os gall un o dy feirdd ganu'n well na fi," meddai, "croeso iddo roi cynnig arni." Cleciodd ei fysedd. Ar unwaith sylweddolodd y beirdd eu bod yn gallu siarad eto, ond wnaeth neb dderbyn y cynnig. Cripion nhw i gefn y llwyfan, gan adael Taliesin ar ei ben ei hun.

Yna canodd Taliesin gân arall: cân galed a ffyrnig am frenin yn cloi dyn mewn tŵr. Dechreuodd neuadd fawr y castell grynu. Chwyrlïodd y canwyllyrau, siglodd y tapestrïau oedd yn dangos campau dychmygol Maelgwn a disgyn â chlec fawr i'r llawr. Dihangodd y beirdd, a swatiodd tywysogion ac arglwyddi dan y byrddau.

Sylweddolodd Maelgwn ei fod wedi colli'r dydd. "Ewch i nôl y Tywysog Elffin," gorchmynnodd.

Rhedodd ei filwyr o'r stafell a dod yn ôl yn llusgo Elffin dryslyd yr olwg, dan lwyth o gadwynau.

"Helô, Dad," canodd Taliesin.

Ysgydwodd cadwynau Elffin a syrthio i'r llawr.

"Dwedais i y byddet ti'n siŵr o gael helynt petait ti'n mynd hebdda i," meddai Taliesin.

"Do, wir," meddai Elffin. Edrychodd ar y beirdd crynedig, y llanast o dapestrïau, ac ar y Brenin Maelgwn oedd yn goch gan dymer ond yn ofni dweud gair. Doedd Elffin ddim yn gwybod beth oedd wedi digwydd, ond addawodd yn ddistaw bach y byddai bob amser yn dilyn cyngor ei fab o hyn allan. Meddyliodd am ei gastell bach tawel ger y môr a gwenu. "Adre â ni," meddai.

Pryderi a Brenhines y Tylwyth Teg

Pryderi, os wyt ti'n cofio, oedd mab y Tywysog Pwyll a'r Dywysoges Rhiannon. Ar ôl tyfu i fyny, cafodd lawer o anturiaethau. Dyma un o'r rhyfeddaf. Mae'r hanes hwn, a hanes ei anturiaethau eraill, yn Y Mabinogi.

*R*oedd Pryderi, mab Pwyll, yn debyg iawn i'w dad. Roedd e'n ddewr, roedd yn hoffi cwmni ei ffrindiau, ac weithiau roedd yn gwrando ar ei ffrindiau pan ddylai e ddim.

Yn drist iawn, bu farw'r Tywysog Pwyll a daeth Pryderi'n Dywysog Dyfed yn ei le. Cyn hir, sylweddolodd mai gwaith diflas oedd rheoli gwlad. Roedd pobl yn gofyn iddo wneud penderfyniadau byth a hefyd, yn lle gadael iddo dreulio amser gyda'i ffrindiau. Manawydan oedd ffrind gorau Pryderi. Roedden nhw'n gymaint o ffrindiau, gofynnodd Pryderi i Manawydan ddod i aros yn ei gastell er mwyn i'r ddau gael treulio pob munud gyda'i gilydd, yn hela a physgota yn ystod y dydd a gwledda fin nos. Ac er i fam Pryderi ei ddwrdio am esgeuluso'i ddyletswyddau fel rheolwr newydd, chymerodd e ddim sylw ohoni.

Un diwrnod roedden nhw'n cael swper yn neuadd y castell. Roedd y stafell fawr yn llawn pobl a sŵn. Eisteddai cant o bobl wrth y byrddau hir, a rhedai gweision o'u cwmpas yn cario platiau. Roedd grŵp o gerddorion yn chwarae yn un gornel, a chŵn yn cyfarth ac yn ymladd dros ddarnau o gig.

Yn sydyn, yng nghanol yr holl firi, rhuodd taran enfawr. Disgynnodd niwl gwyn dros bopeth. Llifodd drwy ffenestri'r castell a llenwi'r stafelloedd nes oedd y ddau ffrind bron yn methu gweld ei gilydd ar draws y bwrdd.

Diflannodd y niwl cyn gynted ag y daeth. Syllodd Pryderi a Manawydan ar ei gilydd ar draws y bwrdd gwag, mewn neuadd wag, dawel.

"Ble mae pawb?" gofynnodd Pryderi. Edrychodd o dan y bwrdd rhag ofn bod rhywrai'n swatio yno, ond doedd neb yno chwaith. Rhedodd at y ffenest ac edrych allan. Roedd y caeau o gwmpas y castell, a ddylai fod yn llawn o bobl, yn wag. Roedd hyd yn oed y defaid wedi diflannu.

"Beth yn y byd sy'n digwydd?" gofynnodd Manawydan, a'i lais yn crynu.

Ysgydwodd Pryderi ei ben. Roedd yn ddirgelwch llwyr.

Chwiliodd y ddau ffrind drwy'r castell cyfan, a gweld neb. Aethon nhw allan ac edrych ym mhob cae ac ym mhob tŷ. Dim pobl, dim anifeiliaid, dim. Dim byd ond eu dau geffyl yn pystylad yn anniddig yn eu stabl. Dyna'r peth rhyfeddaf o'r cyfan – pam oedd eu ceffylau nhw'n dal yno, a phob anifail arall wedi diflannu?

"Ti'n gwybod beth mae hyn yn ei olygu, yn dwyt?" gofynnodd Manawydan.

"Ydw," meddai Pryderi. "Mae'n rhaid i ni ddarganfod beth sy wedi digwydd i bawb a dod â nhw'n ôl."

"Wel, fe allen ni wneud hynny," meddai Manawydan, "neu fe allen ni fwynhau ein hunain am sbel. Does neb ond ni yng Nghymru gyfan. Gallwn ni wneud beth fynnon ni, ac os arhoswn ni am dipyn dwi'n siŵr y daw'r lleill yn ôl."

Doedd Pwyll ddim mor sicr. *Rhyw swyn milain ydy hyn*, meddyliodd. Dylai fod wedi gwrando'n fwy astud ar ei fam pan oedd hi'n sôn am swynion y Byd Arall. "O'r gore," cytunodd. "Fe arhoswn ni." Allai e ddim meddwl beth arall i'w wneud.

Arhosodd y ddau ffrind am flwyddyn gron. Er bod yr anifeiliaid wedi diflannu o'r ffermydd a'r cartrefi, sylweddolon nhw'n fuan iawn fod y coedwigoedd yn llawn creaduriaid gwyllt, a'r llynnoedd a'r afonydd yn dal yn llawn pysgod. Treuliodd y ddau ffrind eu hamser yn hela a physgota, yn union fel o'r blaen cyn i bawb ddiflannu. Ar ddiwedd y flwyddyn roedd Pryderi wedi diflasu. Roedd e'n colli'i deulu a'i ffrindiau eraill, ac yn ddistaw bach, roedd wedi blino ar siarad gyda neb ond Manawydan.

"Rhaid i ni wneud rhywbeth," meddai un noson, pan oedd Manawydan ac yntau'n eistedd yn neuadd wag y castell.

"Dwi'n cytuno," meddai Manawydan. "Dere i ni fynd i Loegr. Gallwn ni gael gwaith ac esgus bod yn bobl gyffredin. Bydd e'n hwyl!"

Nid dyna oedd gan Pryderi mewn golwg, ond gan fod Manawydan yn siarad am Loegr fel petaen nhw eisoes wedi cytuno i fynd yno, wyddai e ddim beth arall i'w wneud.

Drannoeth, pacion nhw'u dillad, gadael Cymru a marchogaeth i ffwrdd. Y dref gyntaf gyrhaeddon nhw oedd Henffordd. Roedd edrych ar y strydoedd prysur yn brofiad rhyfedd i Pryderi. Doedd e ddim wedi gweld neb ond Manawydan am flwyddyn gyfan, a doedd e ddim wedi sylweddoli tan nawr gymaint roedd e'n colli pobl Cymru.

"Pa waith wnawn ni?" gofynnodd i Manawydan.

Daeth Manawydan oddi ar ei geffyl a phwyso'i freichiau ar y cyfrwy. "Dwi'n gwybod! Beth am wneud cyfrwyau? Rydyn ni'n treulio cymaint o amser yn marchogaeth, fe ddylen ni ddysgu am gyfrwyau."

Felly, aeth y ddau ffrind ati i rentu siop, prynu llwyth o ledr a dechrau gwneud cyfrwyau. Roedd Manawydan yn syndod o sgilgar – roedd e mor dda nes bod pawb eisiau prynu'i gyfrwyau, a chollodd pob cyfrwywr arall yn Henffordd eu cwsmeriaid.

Daeth y cyfrwywyr i'r siop. "Paciwch eich eiddo ac ewch o'ma," medden nhw. "Os byddwch chi'n dal yma fory, byddwch chi'n difaru."

"Pa hawl sy ganddyn nhw i ddweud wrthon ni

am adael?" meddai Pryderi. "Dylen ni ymladd yn eu herbyn a dysgu gwers iddyn nhw."

"Ond wedyn fe gawn ni'n taflu i'r carchar," meddai Manawydan, yn siarad yn gall am unwaith. "Dwi wedi blino gwneud cyfrwyau beth bynnag. Fe symudwn ni i dref arall a gwneud tarianau."

"Wyt ti'n gallu gwneud tarianau?" cwynodd Pryderi.

"Siŵr o fod. Er, dwi erioed wedi rhoi cynnig arni . . ."

Fore trannoeth, gadawodd y ffrindiau Henffordd a marchogaeth i Gaerwrangon, lle agoron nhw siop gwneud tarianau. Roedd Manawydan yn dda am wneud tarianau hefyd. Roedd e mor llwyddiannus, daeth torf fawr ffyrnig o wneuthurwyr tarianau'r dref i sefyll o flaen y siop a'u gorchymyn i adael.

Y tro hwn, Manawydan oedd yn awyddus i aros ac ymladd, ond mynnodd Pryderi ei bod yn bryd iddyn nhw symud ymlaen. "Beth am fod yn gryddion, a gwneud esgidiau i bobl?" meddai. "Dyw cryddion ddim yn gwybod sut i ymladd, felly chawn ni ddim trafferth."

Gadawon nhw'r dref y noson honno, marchogaeth i'r dref nesaf ac agor siop gwneud esgidiau.

Cyn bo hir roedden nhw'n gwneud yr esgidiau gorau yn y sir. Roedd y cryddion eraill o'u co, ond roedd Pryderi'n iawn – doedden nhw ddim yn gwybod sut i ymladd. Felly, fe gyflogon nhw gyfrwywyr Henffordd a gwneuthurwyr tarianau Caerwrangon, a safodd pawb yn un dyrfa fawr o flaen siop Pryderi a Manawydan.

"Do'n i ddim yn disgwyl hyn," meddai Pryderi, pan glywodd y gweiddi cas. "Nawr, Manawydan, wnei di ddod yn ôl i Gymru i chwilio am y bobl sy wedi diflannu?"

Sbeciodd Manawydan drwy'r ffenest. Roedd y dyrfa'n enfawr. "Rwyt ti'n iawn," meddai. "Mae'n bryd i ni fynd adre."

Gadawon nhw drannoeth, a chyn hir roedden nhw'n croesi'r ffin i Gymru oedd mor wag ag erioed. Aethon nhw'n ôl i gastell Pryderi, a mynd allan bob dydd ar gefn eu ceffylau i chwilio am y bobl oedd ar goll.

Diflasodd Manawydan yn fuan iawn. "Pan ddaw pawb yn ôl, byddan nhw'n llwglyd," meddai. "Dwi'n mynd i dyfu bwyd iddyn nhw."

Erbyn hyn, doedd Pryderi ddim yn siŵr a fyddai unrhyw un yn dod yn ôl. Trueni na allai fod fel ei ffrind. Doedd hwnnw'n poeni dim. Ond roedd Pryderi'n dechrau meddwl mai arno fe'i hun oedd y bai am hyn i gyd. Wedi'r cyfan, gwaith tywysog oedd gofalu am ei bobl. Petai wedi gwneud ei waith yn iawn, falle byddai pawb yn dal yno.

Tra oedd Pryderi'n chwilio am y bobl goll, plannodd Manawydan dri llond cae o wenith, ac er nad oedd e erioed wedi tyfu dim o'r blaen roedd yn llwyddiannus iawn. Tyfodd y gwenith yn gyflym nes ei fod yn dal, yn syth ac yn disgleirio fel aur pur dan heulwen yr haf. Roedd Manawydan yn falch iawn o'i gaeau.

Yna un bore, daeth yn ôl i'r castell mewn tymer wyllt. "Mae rhywun wedi dwyn un o 'nghaeau gwenith i!" llefodd.

Sut yn y byd y gallai lleidr ddwyn cae cyfan? Allai Pryderi ddim credu'r peth, ond pan aeth i edrych gwelodd fod un o'r caeau'n llawn o fonion brown a choesau gwenith yn gorwedd blith draphlith, heb yr un dywysen aur i'w gweld yn unman.

"Tybed ai malwod sy wedi bod wrthi?" gofynnodd Pryderi. Doedd e'n deall dim am dyfu cnydau.

Doedd Manawydan ddim yn deall rhyw lawer chwaith. "Dwi wedi blino ar dyfu gwenith," meddai. "Dim ots. Mae gyda ni ddau gae ar ôl. Fe wna i fedi un ohonyn nhw fory."

"Beth am wneud hynny nawr," awgrymodd Pryderi, "cyn i rywun gipio'r cae hwnnw hefyd?" Ond roedd yn well gan Manawydan fynd i wneud rhywbeth arall.

Drannoeth, daeth Manawydan i mewn i'r castell ar ffrwst a gweiddi, "Mae'r ail gae wedi mynd hefyd!"

Dwedais i wrthot ti, meddyliodd Pryderi, gan frathu'i dafod. "Beth am i ni eistedd yn y cae olaf heno," awgrymodd, "i weld beth sy'n digwydd?"

Cytunodd Manawydan. Y noson honno – ar ôl pacio llond basged bicnic o fwyd a diod – aethon nhw i wersylla yn y cae.

Am oriau lawer roedd pobman yn dawel, ond pan oedd hi bron yn hanner nos clywodd Pryderi sŵn traed bach yn pitran patran, a channoedd o leisiau'n gwichian.

Llygod! Cannoedd ar gannoedd o lygod! Llifon nhw i mewn i'r cae fel ton fawr frown, rhedeg i fyny coesau'r gwenith a chnoi'r tywysennau.

Gwaeddodd Pryderi a Manawydan a stampio'u traed i geisio'u dychryn i ffwrdd, ond heb lwc. O fewn ychydig funudau, roedd y llygod wedi torri pob tywysen ac yn dianc o'r cae yn cario'r tywysennau ar eu cefnau.

Neidiodd Manawydan ar ôl un llygoden dew, a'i dal yn ei ddwylo.

"Y lleidr bach!" gwaeddodd. "Dwi'n mynd i dy grogi di am hyn."

"Rwyt ti'n mynd i grogi llygoden?" gofynnodd Pryderi. "Am ddwyn gwenith?"

"Ydw!" gwaeddodd Manawydan, yn rhy flin i wrando. "Ble mae'r fasged bicnic?"

Cydiodd yn y cyllyll a'r ffyrc, gwthio'r llygoden i mewn i'r fasged a chau'r caead â chlep. Yna dechreuodd glymu'r cyllyll a'r ffyrc at ei gilydd i greu crocbren bach. Gwyliodd Pryderi mewn syndod, gan wneud ei orau i beidio â chwerthin.

Ond yna clywodd sŵn – carnau ceffyl! Cododd ei ben a gweld dyn yn marchogaeth ar draws y cae tuag atyn nhw.

Neidiodd Pryderi ar ei draed. Doedd e ddim wedi gweld un dyn byw yng Nghymru heblaw Manawydan ers blynyddoedd.

Disgynnodd y dyn oddi ar ei geffyl. "Beth y'ch chi'n wneud?" gofynnodd.

Gwgodd Manawydan. "Rydyn ni'n crogi lleidr," meddai. Tynnodd y llygoden o'r fasged bicnic a'i dangos.

"Allwch chi ddim crogi llygoden," meddai'r dieithryn. "Gadewch hi'n rhydd ac fe ro i ugain punt i chi."

Roedd ugain punt yn dipyn o arian. Edrychodd Pryderi'n amheus ar y dyn. "Beth dda yw arian i ni, gan fod pawb wedi diflannu?" meddai. "Na, dim diolch. Fe grogwn ni'r llygoden."

Oedodd y dieithryn am eiliad cyn dweud, "O'r gore 'te. Hanner canpunt."

Plethodd Pryderi ei freichiau. "Pam wyt ti'n poeni cymaint am lygoden?" holodd.

Ochneidiodd y dieithryn. "Achos," meddai, "fy ngwraig i yw'r llygoden. Fy enw yw Llwyd a dwi'n ddewin. Dwi wedi bwrw swyn dros Gymru i gyd, a chipio pawb i'r Byd Arall."

"Ond pam?" gofynnodd Manawydan.

"Ar Pwyll, tad Pryderi, mae'r bai," meddai Llwyd. "Roedd yr Arglwydd Gwawl eisiau priodi'r Dywysoges Rhiannon, ond chwaraeodd Pwyll dric arno."

Roedd Pryderi wedi clywed y stori sawl gwaith. Roedd Pwyll wedi dal Gwawl mewn sach swyn a bygwth ei adael yno am byth os na fyddai'n addo y câi Pwyll briodi Rhiannon.

"Roedd Rhiannon wedi gwneud i Gwawl addo na fyddai e byth yn dial arni hi na Pwyll," meddai Llwyd. "Ac felly gofynnodd e i fi ddial arnat ti yn eu lle. Sut deimlad yw bod yn dywysog heb bobl?"

Edrychodd Pryderi ar y cae gwag. *Teimlad unig*, meddyliodd.

Gwingodd y llygoden o afael Manawydan a throi'n wraig fonheddig. "Fe welson ni chi'ch dau'n tyfu bwyd, ac roedden ni'n gwybod y byddech chi'n gwylltio pe baen ni'n ei gipio i gyd. Felly, dyna'n union beth wnaethon ni. Gawn ni fynd nawr?"

"Chewch chi ddim mynd nes i chi dorri'r swyn

a rhoi Cymru'n ôl fel yr oedd hi," meddai Pryderi. "A rhaid i chi addo peidio â'n poeni ni byth eto."

Ochneidiodd Llwyd a chodi'i ddwylo. Clywsant daran yn rhuo, a disgynnodd niwl gwyn dros y caeau. Pan ddiflannodd y niwl, doedd dim golwg o Llwyd na'i wraig. Ond clywodd Pwyll wartheg a defaid yn brefu, a phan gododd yr haul gwelodd fwg yn codi o simneiau'r tai. Roedd Cymru'n llawn bywyd unwaith eto.

Yr Afanc

*Mae afon Conwy'n ddau ddeg saith milltir o hyd, yn
ymestyn o rosydd Parc Cenedlaethol Eryri i'r môr ym Mae
Colwyn. Ar y ffordd mae sawl pwll ac afonig fach. Enw un
o'r pyllau hyn yw Llyn yr Afanc. Dyma pam.*

*U*n tro, roedd Cymru'n wlad llawn hud a bwystfilod. Roedd gan bob mynydd ei ddraig, roedd caneuon y Tylwyth Teg yn atseinio o bob coedwig, ac ym mhob afon, llyn a chors roedd creadur rhyfedd yn byw. Yna mentrodd y bobl gyntaf i'r tir. Buon nhw'n cloddio am haearn a chopr yn y mynyddoedd, yn torri'r coed i adeiladu tai, yn pysgota yn yr afonydd ac yn draenio'r corsydd i greu ffermydd.

Diflannodd hen drigolion Cymru i'r cysgodion. Cripiodd y dreigiau i ogofâu dwfn a mynd i gysgu. Swatiodd y Tylwyth Teg rhwng y coed oedd ar ôl. Nofiodd creaduriaid yr afonydd i'r môr mawr – ond arhosodd rhai, gan lechu yn y mwd a gwylio'r bobl â llygaid llwglyd.

Y mwyaf brawychus o'r creaduriaid hyn oedd yr Afanc. Roedd o'n edrych yn eitha tebyg i grocodeil, yn eitha tebyg i arth, ac yn eitha tebyg i siarc. Gorweddai'n gylch mewn pwll ger afon Conwy, yn mwynhau llif y dŵr oer ar ei gennau, ac yn aros. Os crwydrai anifail yn rhy agos i'r pwll, neu os glaniai aderyn ar y dŵr, hyd yn oed am eiliad, yna . . .

SNAP! Dyna'r Afanc wedi'u dal.

Cyn hir, doedd dim llawer o greaduriaid yn byw ger y pwll ac roedd yr Afanc yn llwglyd, yn disgwyl prae newydd.

Ac yna daeth pobl.

Dim ond grŵp bach oedden nhw i ddechrau. Dim ond deg teulu. Gosodon nhw eu ceffylau a'u ceirt ar y tir gwyrdd gwastad rhwng y goedwig a'r afon, a dechrau meddwl am godi ffermydd a thai yno.

Ond plyciodd un o'r merched law ei thad yn nerfus. "Mae rhywbeth o'i le yma," meddai. "Does dim adar yn canu. Ac mi ddylai fod 'na bysgod yn y pwll acw, ond wela i ddim un."

"Sh, Beca," meddai ei thad. "Mae'r pysgod yn swatio o'r golwg, mae'n siŵr." Edrychodd yn ôl ar lethrau'r mynydd, a chrynai ei fysedd mewn cyffro. *Mae Dad yn dychmygu cael ei efail ei hun*, meddyliodd Beca. *Mae o'n dychmygu troi haearn yn bedolau a chreu offer i'r ffermydd fydd yn cael eu codi yma.*

Cododd y teuluoedd wersyll ar y tir gwyrdd, a chyn hir roedden nhw'n torri coed, yn cynnau tanau ac yn cynllunio'u tref newydd.

Yn nyfnder y llyn, clywodd yr Afanc eu lleisiau, a daeth cymaint o ddŵr i'w ddannedd nes i'w boer gorddi i ffurfio pyllau tro. Symudodd o ddim – dim eto. Bob tro roedd y creaduriaid dierth hyn yn cyrraedd rhyw fan, roedd mwy a mwy yn eu dilyn. Roedd yr Afanc yn gwybod hynny, ac yn amyneddgar. Doedd dim brys . . .

Aeth mis heibio, ac yna un arall. Symudodd mwy o deuluoedd i'r dref. Codon nhw fythynnod bach i gymryd lle eu hen bebyll. Roedd tad Beca'n brysur yn curo haearn bob dydd. Ond roedd Beca'n dal i deimlo'n anhapus. Doedd ganddi ddim ffrind o'r un oed i siarad gyda hi, felly roedd hi'n treulio'i hamser yn gwrando.

Roedd hi'n hoffi gwrando ar y glaw'n rhuglo ar y to pan oedd hi'n gorwedd yn ei gwely. Roedd hi'n hoffi gwrando ar glec morthwylion ei thad, a hisian yr haearn crasboeth yn disgyn i ddŵr oer. Eisteddai'n aml ar gwr y goedwig yn gwrando ar gân y gwynt, ac os oedd hi'n gwrando'n astud clywai leisiau bach dierth yn canu o goeden i goeden.

Bydd yn ofalus, meddai'r lleisiau. *Mae 'na berygl yma.*

Un diwrnod, aeth un o'r dynion i lawr i'r pwll ger yr afon â'i wialen bysgota yn ei law.

O dan y dŵr, dechreuodd yr Afanc ystwyrian. Crynai blew ei ffroenau'n eiddgar a diferai llinynnau o boer gwyrdd o'i geg a chymysgu â'r dŵr. Roedd wedi aros yn ddigon hir, ac erbyn hyn roedd o'n llwgu. Ymestynnodd yr Afanc, fflicio'i gynffon a nofio tuag at wyneb y dŵr.

Gwelodd y pysgotwr y dŵr yn crychu, gan feddwl ei fod wedi dal pysgodyn. Ond yna gwelodd bâr o lygaid, pob un mor fawr â'i ben, a thrwyn hir brown â gwrychau ac ysgithrau drosto i gyd. Erbyn i'r pysgotwr roi un sgrech o fraw, roedd dannedd yr Afanc yn cau amdano . . .

Pan fethodd y pysgotwr ddod adre'r noson honno, meddyliodd pawb ei fod wedi cael ei ladd gan anifail gwyllt yn y goedwig. Neu wedi diflasu ar y dref, ac wedi penderfynu symud ymlaen: roedd hynny'n digwydd weithiau. Aeth rhai o'r dynion i'r goedwig i chwilio amdano, ond welson nhw ddim byd. Feddyliodd neb am fynd i lawr at y pwll ger yr afon, gan fod hwnnw mor dawel a llonydd.

O'r diwedd, ar ôl i bedwar person ddiflannu, a rhywun yn dod o hyd i ddarnau o wialen bysgota ger y pwll, sylweddolodd pawb beth oedd yn digwydd. Ond erbyn hyn, roedd yr Afanc yn fwy eofn. Diflannodd mwy o bobl, a gwartheg hefyd. Weithiau, yn y nos, clywai'r bobl y bwystfil yn rhuo. Weithiau, yn y bore, os nad oedd yr Afanc wedi llyncu'i brae'n grwn, byddai esgyrn yn nofio ar wyneb y pwll.

Cynhaliwyd cyfarfod mawr yn y dref ac aeth Beca yno gyda'i thad. Eisteddodd yn y rhes gefn a gwrando'n ofalus, a'i thalcen yn grychau i gyd.

Aligator mawr oedd y bwystfil. Nage, walrws enfawr oedd o. Eliffant oedd o, neu arth. Fedrai neb gytuno. Ond roedd pawb yn cytuno ar un peth: os oedden nhw am fod yn ddiogel yn eu cartrefi, doedd ganddyn nhw ddim dewis ond lladd y bwystfil.

O'r diwedd, safodd y maer ar ei draed. "Mi awn ni at y pwll fory," meddai. "Rhaid i bawb ddod ag arf – picell neu gleddyf neu beth bynnag sy wrth law."

"Wnaiff hynna ddim gweithio," sibrydodd Beca. "Creadur o'r hen, hen amser ydy hwn. Dwi wedi clywed y Tylwyth Teg yn canu amdano. Fedrwch chi ddim lladd creaduriaid hud efo arfau cyffredin."

Chlywodd neb ei geriau heblaw ei thad, ac ysgydwodd o 'i ben i'w rhybuddio i fod yn dawel.

Drannoeth, tyrrodd pob dyn yn y dref at ymyl y pwll. Ffrwydrodd yr Afanc o'r dŵr ac anelu amdanyn nhw. Roedd ei ben yn wastad ac yn debyg i ledr, a thyfai ysgithrau ar ei drwyn gwrychog. Roedd ganddo gorff hir brown â chennau drosto, a rhes o bigau miniog ar ei gefn. Ar flaen ei gynffon roedd pigyn esgyrnog, a hwnnw'n siglo.

Gwasgarodd y dynion dan sgrechian nerth eu pennau. Rhuodd yr Afanc. Am hwyl! Rhuthrodd ar ôl y bobl, a cheisio penderfynu pwy i'w fwyta nesa'. Taflodd y dynion eu picellau ac anelu eu saethau, ond sbonciodd pob arf oddi ar gennau'r bwystfil.

Rhedodd y dynion yn ôl i'r dref. "Mae'n amhosib lladd y bwystfil," medden nhw. "Rhaid i ni symud o'r lle 'ma cyn iddo'n bwyta ni i gyd."

Crychodd talcen Beca yn fwy nag erioed. Doedd hi ddim eisiau cael ei bwyta, ond roedd pawb wedi codi eu cartrefi yma. Roedd cnydau cynta'r tymor yn tyfu yn y cae. Petaen nhw'n symud, byddai'n rhaid gadael popeth – a ble bydden nhw'n cael bwyd yn y gaeaf?

Meddyliodd am ychydig, yna cododd a cherdded yn dawel i'r goedwig.

"Helô," galwodd. "Dwi angen eich help."

Awr neu ddwy'n ddiweddarach cerddodd Beca'n ôl i'r dref, yn teimlo braidd yn sigledig.

"Mi wn i be ydy'r bwystfil," meddai. "Afanc ydy o, yr unig un o'i fath ar ôl yng Nghymru. Creadur hud ydy o, a fedr arfau dynol mo'i niweidio. Ond bydd cân ei yn ddofi, a haearn yn ei glymu."

Doedd neb eisiau gwrando arni – yn enwedig ei thad. "Wna i ddim gadael i ti ymladd yn erbyn bwyst-filod," meddai. "Mae'n rhy beryglus. Mae'n well i ni bacio'n bagiau, a chwilio am rywle arall i fyw."

"Ond Dad," meddai Beca, "os na stopiwn ni'r Afanc, bydd o'n dal i ladd pobl, ac yn dal i dyfu nes llenwi'r afon gyfan. Fydd neb yn ddiogel. Does dim ofn arna i." Celwydd oedd hynny – roedd meddwl am y bwystfil yn codi arswyd arni – ond roedd y Tylwyth Teg wedi dweud wrthi beth i'w wneud, ac roedd ganddi ffydd ynddyn nhw. "Dwi ddim yn bwriadu ymladd y bwystfil," meddai. "Dwi'n mynd i ganu, a'i suo i gysgu. Bydd raid i'r gweddill ohonoch chi wneud y gwaith peryglus."

O'r diwedd, ar ôl llawer o ddadlau, cytunodd y bobl i roi cynnig ar gynllun Beca. Aeth ei thad ati i wneud cadwyn haearn. Defnyddiodd bob darn o haearn yn y dref, ac yna gyrru pobl i'r trefi cyfagos i brynu rhagor. Ar ôl ei gorffen, roedd y gadwyn mor drwm nes bod angen pum deg o bobl i'w chodi.

"Barod?" gofynnodd Dad i Beca.

Nodiodd Beca, a cheisio peidio crynu. "Barod."

Arweiniodd y ffordd at yr afon.

Gwasgodd pawb at ei gilydd mewn braw. Oedd 'na bâr o lygaid gwyrdd yn sbecian drwy'r dyfrllys? Beth oedd y sŵn clecian 'na? Canghennau'n ysgwyd yn y gwynt, neu geg anferth yn agor yn ara' bach?

Tynnodd Beca anadl hir a dechrau canu.

Canodd un o'r hwiangerddi glywodd hi gan Dad pan oedd hi'n fach. Ar y cychwyn, roedd ei llais yn fain ac yn ofnus, a hithau'n baglu dros y geiriau, ond erbyn cyrraedd diwedd y pennill cyntaf teimlai'n ddewrach.

Camodd ychydig yn nes at y pwll, a'i llais yn codi a gostwng ar yr awel.

Yn nyfnder y pwll, caeodd yr Afanc ei geg yn glep a gwrando'n syn. Doedd o erioed wedi clywed neb yn canu o'r blaen. Fel arfer, roedd pobl yn gweiddi "Aaaaaa!" wrth ei weld, ond roedd y sŵn hwn yn hyfryd a hudolus. Roedd yn atgoffa'r Afanc o'r cyfnod pan oedd Cymru'n wyllt ac yn rhydd, a dreigiau'n crwydro'r mynyddoedd.

Cododd yr Afanc i wyneb y pwll, a'i lygaid gwyrdd llawn sleim wedi'u hoelio ar y person bach oedd yn gwneud y fath sŵn gwych.

Daliodd y bobl i gyd eu gwynt, a phenliniodd Beca ar y glaswellt. Doedd ganddi ddim dewis. Roedd ei choesau'n crynu cymaint, fedrai hi ddim sefyll.

Cripiodd yr Afanc o'r dŵr a gorwedd o'i blaen. Yna rholiodd ar ei gefn a chwifio'i draed ffiaidd yn yr awyr, yn union fel cath sy'n gofyn am gael rhwbio'i bol.

Gan ddal ati i ganu, estynnodd Beca'i llaw a chrafu'r bwystfil dan ei ên. Teimlai ei gennau'n oer a garw. Caeodd yr Afanc ei lygaid a gwneud sŵn rhyfedd, fel cerrig yn rhuglo. Canu grwndi oedd o, sylweddolodd Beca.

Dechreuodd ganu unwaith eto, a chanu bob pennill nes cyrraedd y diwedd. Dechreuodd yr Afanc chwyrnu.

Cripiodd y bobl tuag ato a dechrau lapio'r bwystfil yn y gadwyn haearn o'i drwyn i flaen ei gynffon.

Pan oedden nhw wedi gorffen, stopiodd Beca ganu a rhedeg o'r ffordd.

Deffrodd yr Afanc. Roedd y sŵn hyfryd wedi diflannu, a rŵan roedd o'n llwglyd iawn. Ceisiodd neidio ar ei draed, ond roedd ei draed wedi'u lapio mewn haearn trwm, a syrthiodd i'r llawr. Gwingodd a rhuo mewn tymer. Rholiodd yn wyllt ar lan yr afon, gan wneud tyllau mawr yn y ddaear, ond fedrai o ddim dianc. O'r diwedd suddodd i lawr, wedi blino'n llwyr.

Yna daeth y bobl â'r ychen cryfaf, eu gosod yn rhes dan yr iau, a bachu pen y gadwyn yn yr iau. Yn araf iawn, am fod yr Afanc mor drwm, dechreuon nhw gerdded. Llusgon nhw'r bwystfil ffyrnig o'r afon, ar draws y caeau, i fyny ac i lawr y bryniau, nes darganfod llyn tywyll, unig ar lethr dwyreiniol yr Wyddfa. Tynnodd y bobl yr Afanc yn rhydd o'r iau a'i daflu i mewn yn ei gadwyn. Disgynnodd i'r dŵr â sblash fawr a diflannu o'r golwg.

Aeth y bobl adre a wnaeth yr Afanc mo'u poeni byth wedyn.

Mae'r llyn yn dal ar yr Wyddfa. Ei enw ydy Llyn Glaslyn. Does neb wedi gweld yr Afanc, ond os digwyddi di fynd am dro at y llyn, paid â mynd yn rhy agos i'r dŵr, a chofia ganu hwiangerdd – rhag ofn.

Ogof y Brenin Arthur

Ble yng Nghymru oedd y Brenin Arthur yn byw? Yn ôl Sieffre o Fynwy, a sgrifennodd hanes Prydain, roedd Camlod, llys y brenin, yng Nghaerllion yn y de-ddwyrain.

Yn ôl chwedl arall, rywle yng nghanolbarth Cymru mae ôl troed hoff gi'r brenin, ac mae 'na chwedlau sy'n cysylltu ei gleddyf, Caledfwlch, â sawl un o lynnoedd Eryri. Mae 'na lawer o straeon eraill hefyd.

Mae Cymru'n llawn chwedlau. A phwy a ŵyr? Falle doi di ar draws un yn ddisymwth ryw ddiwrnod . . .

*D*igwyddodd y stori hon ddoe ddiwethaf.

Roedd Steffan wedi bod yn edrych ymlaen at ei wyliau mewn bwthyn yn y mynyddoedd, nes iddo sylweddoli dau beth. Yn gyntaf, doedd dim signal ffôn symudol yn agos i'r bwthyn. Ac yn ail, bob tro roedd e'n mynd allan ar antur, roedd e'n gorfod mynd ag Emily, ei chwaer fach, gydag e.

Doedd Steffan ddim yn casáu Emily. Dim o gwbl. Roedd hi'n hwyl, ac yn dda am ddyfeisio pob math o gemau. Ond roedd hi dair blynedd yn iau nag e, ac yn llawer llai o faint, felly pan oedd Steffan eisiau anturio i'r mynyddoedd roedd e'n gorfod aros iddi ddal i fyny drwy'r amser. Hefyd, roedd hi'n hoff iawn o sefyll a syllu o'i chwmpas, ac yn gwrthod symud nes ei bod wedi gweld popeth.

Roedd hi wrthi nawr, yn sefyll â'i phen ar dro, yn syllu ar hen goeden oedd yn tyfu ar ongl o'r graig.

"Dim ond coeden yw hi," meddai Steffan yn ddiamynedd. Roedd e wedi bwriadu dringo i ben y mynydd heddiw, ond roedd Emily wedi sylwi ar lwybr bach cul yn gwyro o'r prif lwybr, ac wedi mynnu ei ddilyn er mwyn gweld beth oedd ar ei ben draw. A dyma'r ateb: creigiau o'u blaen a choeden yn tyfu bron ar ei hochr, a'i changhennau main fel petaen nhw ar fin syrthio. Dringodd Steffan ar y goeden a thynnu un o'r canghennau isaf. Torrodd yn glec yn ei law.

"Steffan!" llefodd Emily.

"Be? Dim ond cangen yw hi." Neidiodd i lawr a chwipio'r glaswellt â'r ffon, gan esgus bod yn farchog â chleddyf yn ei law. "Allwn ni fynd i rywle arall nawr, neu wyt ti am ddal i syllu?"

Cerddodd i ffwrdd, gan chwifio'i ffon. Gyda lwc byddai Emily'n rhedeg ar ei ôl, ac fe wnaeth hi. Stryffaglion nhw'n ôl ar hyd y llwybr cul, a dringo'r llethr lle buon nhw chwarae llithro'n gynharach.

Roedden nhw'n dilyn y llwybr oedd yn arwain i'r mynydd pan welson nhw fachgen. Roedd ganddo wallt du a llygaid gwyrdd, ac ymddangosodd yn sydyn ar y llwybr, fel petai wedi camu o'r awyr.

"Helô," meddai Emily. "Emily ydw i, a hwn yw fy mrawd, Steffan. Wyt ti ar dy wyliau?"

"Dwi'n byw yma," meddai'r bachgen.

Doedd dim golwg o dŷ yn unman. *Byw yn rhywle'n agos mae e, siŵr o fod*, meddyliodd Steffan. Gwthiodd ei ffon i'r ddaear a phwyso arni. Craffodd y bachgen arno â'i lygaid yn gul.

"Ble cest ti honna?" holodd.

Teimlodd Steffan yn euog am ryw reswm. Oedd 'na arwydd yn rhywle'n rhybuddio pobl rhag torri canghennau oddi ar goed? Doedd e ddim wedi gweld un. "Dim ond ffon yw hi," meddai. "Roedd hen goeden hanner marw yn tyfu o graig draw fan'na."

Syllodd y bachgen arno. "Wyt ti'n cofio ble mae hi?" gofynnodd. "Fedri di ddangos y goeden i mi?"

Pam oedd e eisiau gweld hen goeden? Roedd rhieni Steffan wedi'i rybuddio i beidio â siarad gyda dieithriaid, ond bachgen oedd hwn, nid oedolyn. "Dwi'n meddwl ei bod yn hen bryd i ni fynd yn ôl adre," meddai'n ansicr.

"Na, dyw hi ddim," meddai Emily. "Mae gyda ni ddigon o amser."

Gwenodd y bachgen. "Gwrandwch. Os dangoswch chi'r goeden i mi, fe ddangosa i ryfeddod i chi na wnewch chi byth ei anghofio."

Twyllo mae e, meddyliodd Steffan. Ond roedd Emily'n hopian yn gyffrous o un droed i'r llall. Ochneidiodd Steffan. "O'r gore," meddai. "Ond allwn ni ddim aros yn hir."

Arweiniodd y ffordd i lawr y bryn ac ar hyd y llwybr cul. Ymwthion nhw drwy'r glaswellt hir a'r mieri, nes cyrraedd y man lle roedd y goeden yn ymestyn o'r graig.

Gyda chri fain, dringodd y bachgen i ben y graig, disgyn ar ei bedwar a dechrau cloddio yn y pridd meddal o gwmpas gwreiddiau'r goeden. Syllodd Steffan arno'n syn. Beth yn y byd oedd e'n wneud? Oedd e am godi'r goeden gyfan?

Dringodd Emily ar ôl y bachgen. "Dwi'n gweld twll," meddai.

"Paid â bod yn ddwl," meddai Steffan, ond pan ddringodd ati sylweddolodd ei bod hi'n dweud y gwir. Roedd gwreiddiau'r goeden yn gafael yn y graig, ond rhyngddyn nhw roedd twll yn ymestyn i'r creigiau y tu draw.

Dechreuon nhw i gyd gloddio, a chyn hir roedd y twll yn ddigon mawr iddyn nhw fedru cropian i mewn iddo. Y bachgen aeth gyntaf. Dilynodd Emily'n eiddgar. Aeth Steffan ar ei hôl, a'i galon yn curo'n wyllt.

Ymhen eiliad, safodd Emily'n stond. Safodd Steffan hefyd, a'i geg yn llydan agored.

O'u blaen, yn lle tywyllwch dudew, roedd ogof fawr yn llawn golau euraid. Ar y llawr carreg gorweddai dynion mewn arfwisg. Roedden nhw'n gorwedd ar eu cefnau, gyda chleddyf a tharian wrth ochr pob un. Llifai darnau o arian ac aur o hen sachau llwyd, carpiog.

Ym mhen draw'r ogof, ar orsedd garreg, eisteddai clamp o ddyn mawr, mwy na'r lleill i gyd, â chleddyf yn gorwedd ar draws ei liniau.

Rhaid mai cerfluniau ydyn nhw, meddyliodd Steffan, ond roedd y marchogion yn edrych yn real, yn union fel dynion go iawn yn cysgu ar y llawr.

"Beth yw'r lle 'ma?" sibrydodd. "Pwy yw'r bobl hyn?" Roedd ei lais yn swnio'n rhy gryf yn nhawelwch yr ogof, a chymerodd gam neu ddau yn ôl.

Disgynnodd y bachgen ar ei bengliniau a dechrau llenwi'i bocedi â darnau aur. "Y Brenin Arthur ydy'r dyn ar yr orsedd," meddai. "Ei farchogion sy'n gorwedd o'i gwmpas. Maen nhw'n aros am y dydd pan fydd Prydain mewn helynt mawr. Yna byddan nhw'n deffro, yn codi'u cleddyfau a'u tarianau ac yn ymladd unwaith eto."

Aeth ias oer i lawr cefn Steffan. Edrychodd o'i gwmpas yn syn. Roedd y bachgen yn iawn. Wnâi e byth anghofio'r rhyfeddod hwn.

Ond doedd y bachgen ei hun yn poeni am ddim ond yr arian a'r aur. Cripiodd rhwng y marchogion a bachu un dyrnaid barus ar ôl y llall. Pan oedd ei bocedi'n orlawn, dechreuodd stwffio darnau aur i mewn i'w grys.

"Stopia!" meddai Steffan. "Rho nhw'n ôl. Nid ni biau nhw."

"Fi biau nhw rŵan," meddai'r bachgen. Taflodd gipolwg mor ffyrnig ar Steffan fel na fentrai hwnnw ddweud gair. Yna gwasgodd Emily ei fraich.

"Steffan, edrych."

Trodd Steffan a gweld cloch aur yn hongian o'r wal. Oddi tani roedd plác arian, a geiriau mewn iaith ryfedd wedi'u naddu arno. Cyffyrddodd Steffan yn ysgafn â'r gloch.

Doedd e ddim yn disgwyl iddi symud, ond siglodd y gloch a chanu un nodyn croch. Crynodd y ddaear. Cydiodd Emily'n dynnach ym mraich Steffan. O'u cwmpas roedd y marchogion yn cyffroi, a'u dwylo yn eu menig dur yn estyn am eu cleddyfau.

Agorodd llygaid y Brenin Arthur a sythodd ei gefn. "Pwy ganodd y gloch?" gofynnodd. "Ydy'r amser wedi dod?"

Fedrai Steffan ddim anadlu. Agorodd ei geg, ond cyn iddo allu dweud gair atseiniodd llais drwy'r ogof. "Na, dim ond tylwythyn barus a dau blentyn diniwed sydd yma. Cysga, Arthur Fawr, dydy hi ddim yn ddydd eto."

Suddodd gên Arthur ar ei frest. Fesul un, gollyngodd y marchogion eu cleddyfau a mynd yn ôl i gysgu. Ymhen ychydig eiliadau, roedd pobman yn dawel unwaith eto.

"Am beth gwirion i'w wneud!" hisiodd y bachgen. Cydiodd yn nwylo Steffan ac Emily a'u llusgo o'r ogof.

Blinciodd Steffan yn yr haul. Oedd hynna wedi digwydd go iawn? Trodd i ofyn i'r bachgen, ond doedd dim golwg ohono.

Roedd Emily'n gyffro i gyd. "Rydyn ni wedi gweld y Brenin Arthur! Rhaid i ni fynd adre i ddweud wrth Mam a Dad."

Rhedon nhw'n ôl i'r bwthyn, ar dân i ddweud eu stori. Ond wrth gwrs, wnaeth Mam a Dad ddim credu gair.

"Gallwn ni ddangos yr ogof i chi," mynnodd Steffan.

Ond pan aethon nhw â'u rhieni i'r mynydd, doedd dim sôn am y llwybr cul na'r goeden yn tyfu o'r graig. Roedd yr ogof wedi diflannu fel breuddwyd.

Mae hi'n dal yno'n rhywle, serch hynny. Y tro nesaf rwyt ti'n crwydro mynyddoedd Cymru, edrycha am lwybr cul sy'n arwain i lawr llethr serth. Falle gweli di goeden yn ymestyn o graig gydag ogof oddi tani. Falle mai ti yw'r un fydd yn deffro'r Brenin Arthur.

Hefyd ar gael gan Rily

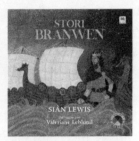

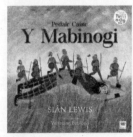
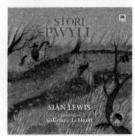

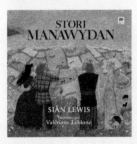